백신,
10대는
무엇을
알아야
할까?

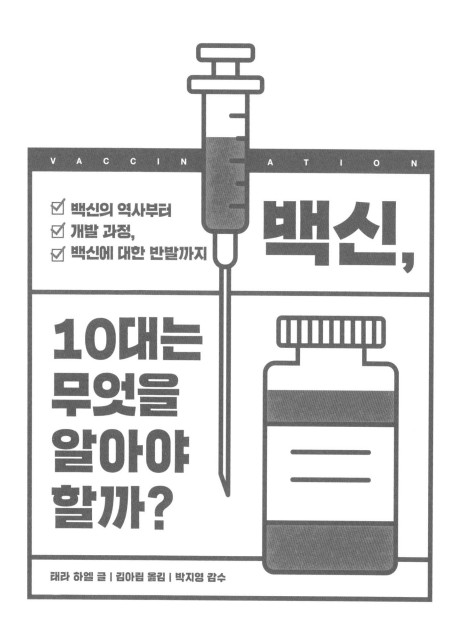

VACCIN ATION

☑ 백신의 역사부터
☑ 개발 과정,
☑ 백신에 대한 반발까지

백신,
10대는
무엇을
알아야
할까?

태라 하엘 글 | 김아림 옮김 | 박지영 감수

오유아이 Oui

차 례

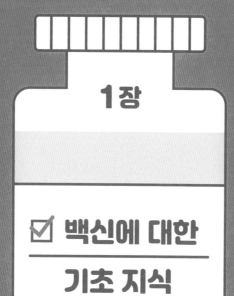

1장

☑ 백신에 대한

기초 지식

1950년대에는 병원에 '철폐iron lung'라는 호흡 보조 장치가 있었다. 이 장치는 안에 환자를 넣고 폐에 공기를 풀무질해 넣었다가 빼는, 금속으로 만든 커다란 통이다. 흔히 '소아마비'라고 불리는 급성 회백수염으로 가슴 근육이 마비되어 더 이상 혼자 힘으로는 숨을 쉴 수 없는 환자들이 철폐에 들어갔다.

철폐에는 풀무가 있어서 환자의 머리 아래 몸의 압력을 낮추고, 폐 속으로 공기가 들어가게 한다. 그 과정이 멈춰지면 손으로라도 풀무질을 해야 한다. 그렇게 하지 않으면 환자가 목숨을 잃을 수 있다. 환자가 계속 숨을 쉬게 하려고 의료진 두 명이 직접 손으로 풀무질을 하기도 했다.

1950년대 초, 미국의 많은 병원은 소아마비 병동에 '철폐'라는 장치를 갖추었다. 이 장치는 소아마비로 가슴 근육이 마비된 환자들의 폐에 공기를 풀무질해 넣었다가 빼는 역할을 한다.

이런 소아마비는 감염병의 한 예다. 감염병이란 우리 몸을 해치는 바이러스나 세균, 기생충이 몸속에 들어와 스스로 번식할 때 발생하는 질병을 말한다. 몇몇 감염병은 사람에게서 사람으로 전파된다. 이를테면 어떤 병에 감염된 사람이 재채기나 신체 접촉, 성적인 접촉을 통해 건강한 사람에게 병을 옮길 수 있다. 벌레에게 물려 옮겨지는 감염병도 있다. 그리고 어떤 감염병은 주변 환경에서 비롯된다. 예를 들어 파상풍을 일으키는 파상풍균은 흙 속에서 자연적으로 존재하다가 사람의 상처 난 피부를 통해

질병은 얼마나 잘 전염될까?

다른 사람과 가까이 접촉해서 옮는 질병을 '전염병'이라고 한다. 어떤 병은 다른 병보다 더 잘 전염된다. 무엇이 질병을 일으키고 어떻게 해야 질병을 막을 수 있는지, 질병이 어디에서 얼마나 자주 나타나고 어떻게 퍼지는지, 누구에게 영향을 끼치는지 등 질병의 특성을 연구하는 과학자들을 '유행병학자'라고 한다. 유행병학자들은 '기초 감염 재생산 지수'를 활용해 어떤 질병이 얼마나 전염성이 높은지 나타낸다. 간단히 'R0'라고 표기하며, 각 질병에 대한 R0는 전염된 한 사람이 병으로부터 보호받지 못하는 다른 사람을 몇 명이나 감염시킬 수 있는지를 뜻한다. R0는 병에 걸린 사람이 얼마나 오래 전염성을 가지느냐에 달려 있으며, 질병에 따라 각각 다르다. 또 병원체의 전파 방식, 예컨대 공기를 통해 전염되는지, 물방울을 통해 전염되는지, 성적인 접촉을 통해 전염되는지도 R0에 영향을 끼친다.

지금까지 인간에게 전염되는 질병 가운데 전염성이 가장 높은 병은 홍역이다. 홍역 바이러스는 감염된 사람이 어떤 구역을 떠난 뒤에도 최대 2시간 동안 공기 중에 남는다. 그리고 그 시간에 해당 구역에서 바이러스에 노출된 사람의 90%가 전염된다. 홍역의 R0는 12~18인데, 이것은 홍역에 걸린 한 사람이 이 병에 면역이 없는 사람을 보통 12명에서 18명까지 전염시킨다는 뜻이다. 백일해 또한 R0가 6~12로 추정되는 전염성이 무척 높은 질병이다. 디프테리아, 유행성 이하선염(볼거리), 소아마비, 풍진, 천연두의 R0는 5~7이다. 한편 에볼라 출혈열은 무척 치명적인 병이지만 R0가 꽤 낮은데, 그 이유는 이 병이 전파되려면 피나 토사물 같은 감염자의 체액과 접촉해야 하는 데다 상당수의 환자가 여러 사람을 전염시키기 전에 목숨을 잃기 때문이다. 그래서 환자 한 사람이 고작 1~2명을 전염시킬 뿐이다.

몸속으로 들어간다. 수두, 감기, 말라리아, 세균성 인두염, 지카열 같은 감염병도 그런 예다. 세포와 조직, 기관의 연결망인 사람의 면역계는 이런 질병과 싸우기 위해 만들어졌다. 하지만 가끔은 질병이 승리를 거두면서 심각한 장애나 죽음을 불러온다.

20세기 이전에 감염병은 미국에서 아이들의 생명을 가장 많이 앗아 가는 원인이었다. 그때는 보통 대가족 형태여서 한 가정에 아이가 꽤 여럿인 경우가 많았다. 하지만 감염병 때문에 많은 아이들이 어른이 되기 전에 죽었다. 어떤 감염병에 걸렸다가 다행히 살아남더라도 곧 또 다른 감염병에 걸릴 가능성이 높았다. 당시 아이들은 20살이 되기 전에 다음 감염병 가운데 대여섯 가지 이상을 앓았다. 홍역, 소아마비, 풍진, 수두, 독감, 유행성 이하선염, 장티푸스, 성홍열, 콜레라, 이질, 백일해, 황열병, 말라리아, 디프테리아, 로타바이러스 감염증, 폐렴, 뇌수막염이 그런 질병들이다.

미국 대통령이었던 조지 워싱턴도 15살에 디프테리아, 17

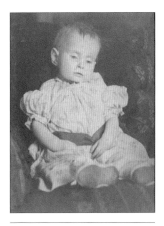

백신을 폭넓게 접종하거나 그 밖의 공중 보건적인 조치가 이루어지기 전에는 수많은 신생아들이 감염병으로 목숨을 잃었다. 19세기 후반에는 많은 가정에서 이렇게 병에 걸려 죽은 아이들을 기억하고자 사진을 찍어 놓기도 했다. 이 사진 속 아이도 1890년 즈음에 사망했다.

살에 말라리아, 19살에 수두에 걸렸다가 목숨을 건졌다. 역시 미국의 대통령이었던 에이브러햄 링컨, 그로버 클리블랜드, 제임스 가필드는 모두 자식들 가운데 한 명 이상을 디프테리아로 잃었다. 1900년대 미국에서 디프테리아는 사람들의 사망 원인 중 열 번째였다. 그리고 이 시기에 약 25%의 아이들이 5살이 채 되기 전에 숨을 거뒀다.

어째서 아이들은 감염병의 가장 큰 희생양이 되었을까? 이 질문에 대한 답은 우리 몸의 면역계와 관련이 있다. 사람이 어떤 질병을 처음으로 맞닥뜨리는 시기는 주로 어린 시절인데, 이때 면역계는 그 병에 익숙하지 않다. 그러면 그 병은 면역계가 감당할 수 있는 범위를 뛰어넘어 아이를 죽음에 이르게 할 수 있다. 아니면 면역계가 승리를 거둬 몸에서 병을 몰아내기도 한다. 이때 면역계는 앞으로 병원균이 몸에 들어오면 싸워 이길 방법을 아는 '면역 기억 세포(기억 세포)'를 남긴다. 그렇게 병에 대한 면역력이 생기게 되면, 아이가 다 자란 뒤에 병원균이 몸에 다시 들어왔을 때 면역 기억 세포가 활성화되어 증상이 나타나기도 전에 병원균을 내쫓는다.

예전에는 어렸을 때 앞서 나열한 감염병에 걸리지 않았으나 성인이 되어 그 병에 걸린 뒤 목숨을 건지고 나서 면역력을 얻기도 했다. 하지만 이렇게 면역력을 얻는 대신 대가가 따랐다. 예컨대 귀나 눈이 멀거나 뇌 손상을 입을 수도 있고, 팔다리를 잃거나 신체 마비, 또는 다른 장애를 얻을 수도 있었다. 미국 대통령이었던 프랭클린 D. 루스벨트는 39살에 소아마비에 걸렸다. 그 때문에 루스벨트는 허리 아래 근육이 마비되었고, 남은 생애 동안 휠체어나 목발에 의지해 움직여야 했다.

감염병 물리치기

티푸스, 이질, 콜레라 같은 몇몇 감염병은 세균이 가득한 물이나 음식물을 통해 전파된다. 19세기 후반에서 20세기 초에 걸쳐 미국의 여러 도시에서는 오물을 처리하고 각 가정에 깨끗한 물을 공급하려고 하수도와 실내 배관 시설을 갖추기 시작했다. 그렇게 가정에서 깨끗한 물을 쉽게 얻게 되면서 물로 전파되는 질병은 미국에서 차츰 자취를 감추었다. 그뿐 아니라 미국에서는 식품 안전법을 마련해 더욱 깨끗하고 안전한 농산물과 육류를 비롯한 식품들을 상점에서 살 수 있게 되었다. 이와 같은 법 규정도 질병의 전파를 줄이는 데 도움이 되었다.

그즈음 미국의 공중 보건 담당자들은 말라리아와 황열병을 옮기는 모기를 죽이기 위해 살충제 뿌리는 작업을 대대적으로 실시했고, 그 결과 모기의 개체 수를 줄여 모기가 옮기는 질병이 줄어들었다. 또한 20세기 초에는 의료 기술이 발전하면서 대부분 다른 감염병으로 사망하는 사람들도 줄었다.

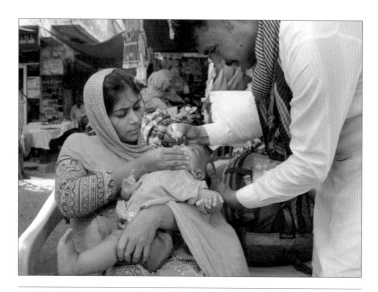

2016년 파키스탄 라호르에서 한 의료계 종사자가 아기에게 소아마비 백신을 접종하고 있다. 전 세계적으로 백신을 접종하려 애쓴 결과 소아마비는 이제 세계 대부분의 지역에서 더 이상 유행하지 않는다. 하지만 파키스탄에서는 여전히 이 병이 유행하는데, 그 이유는 빈곤과 재정이 부족한 공중 보건 체계, 일부 종교 지도자들의 백신 접종 반대 때문이다.

그러나 감염병에 대항하는 싸움에서 가장 중요한 진전은 백신을 개발한 것이었다. 백신은 인체가 특정 질병에 맞서 자기를 보호하는 면역계를 활성화하도록 하는 의약품이다. 20세기 들어 의학 연구자들은 여러 감염병에 대한 백신을 개발했다. 그리고 의료계 종사자들은 전 세계의 어린이와 성인에게 주로 주사의 형태로 백신을 접종했다. 공중 보건 담당자들이 백신을 접종해 천연두를 몰아낸 이후 이 병으로 목숨을 잃는 사람은 세계 어느 곳에서도 찾아볼 수 없다. 또한 소아마비는 이제 몇몇 나라에서만 발생할 뿐이다. 백신 덕분에 홍역이나 풍진이 주기적으로 유행하는 일도 거의 없다. 미국의 정부 보건 기관인 질병통제예방센터 CDC는 백신 접종을 20세기의 위대한 보건 분야 업적 열 가지 가운데 1위로 선정했다.

　백신을 접종함으로써 인류는 질병을 예방하여 장애를 줄이고, 더 오래 더 건강한 삶을 누릴 수 있게 되었다. 대부분의 국가에서는 아이가 태어나면 몇 개월 안에 백신을 접종하도록 권장하고 있다. 10대 청소년은 성년 초반으로 접어들 때 걸릴지도 모르는 질병으로부터 스스로를 보호하기 위해 여러 백신을 맞는다. 또 해마다 모든 연령대의 사람들이 독감 백신을 접종받는다. 노인은 면역계가 약해지기 때문에 대상포진 백신과 폐렴 백신을 맞기도 한다. 가끔은 임신부가 태아를 질병으로부터 보호하고자 백신을 맞는 경우도 있다. 한편 외국을 여행할 사람들은 여행을 떠나기 전에 제 나라에서는 발생하지 않는 질병으로부터 자기 몸을 보호하려고 백신을 맞는다. 예컨대 황열병은 주로 아프리카나 남아메리카 대륙의 열대 지역에서 발병하므로 이 지역을 여행하려면 황열병 예방 접종을 받아야 한다.

　하지만 인류는 모든 감염병을 정복하지 못했고, 새로운 질병은 계속 나타난다. 예를 들어 모기가 옮기는 열대병인 지카열은 2015년에 급속도로 퍼지기 시작했다. 과학자들은 이 병에 대한 백신을 개발하고자 노력하고 있다. 또 다른 과학자들은 수백

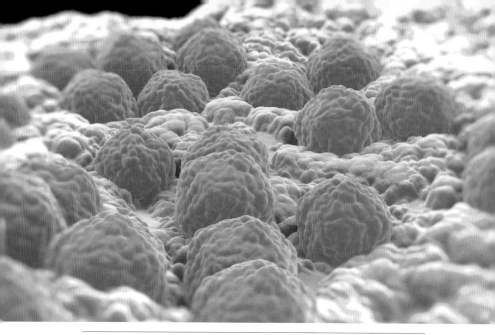

고감도 현미경으로 촬영해 색깔을 입힌 이 사진은 인체 세포의 표면에 자리 잡은 풍진 바이러스들을 보여 준다. 바이러스와 세균을 비롯한 병원체(병을 옮기는 미생물)가 몸속에 들어오면 질병을 일으키고 목숨을 빼앗기도 한다. 백신은 이렇게 몸에 침입하는 병원체들과 싸워 이기도록 면역계를 준비시킨다.

년에 걸쳐 유행했고 가난한 나라에서 여전히 수백만 명의 목숨을 앗아 가는 말라리아와 뎅기열에 대항하는 백신을 개발하는 데 전념하고 있다. 또 1980년대에 후천성 면역 결핍증(에이즈AIDS)을 일으키는 원인으로 밝혀진 인간 면역 결핍 바이러스HIV에 대항하는 백신을 개발하고 있는 과학자들도 있다. 인간 면역 결핍 바이러스는 매년 전 세계에서 100만 명 이상의 목숨을 앗아 간다.

그러는 와중에 공중 보건 담당자들은 또 다른 장애물에 부딪힌다. 바로 백신에 대한 대중의 오해와 그에 따른 접종 거부다. 전 세계 대부분의 사람들은 백신이 병을 예방하는 데 얼마나 큰 역할을 하는지 잘 알지만, 어떤 사람들은 자기 자신이나 아이에게 백신을 접종하지 않기로 결정한다. 어떤 이들은 종교적인 이유를 내세워 백신을 거부하기도 한다. 한편 백신의 부작용을 겁내는 사람들도 있다. 감염병이 그렇게 위험한 병은 아니라고 여기는 사람들도 여전히 존재한다. 이들은 병에 걸리는 것은 '자연스러운' 반면 백신을 맞는 것은 '부자연스럽다'고 생각한다.

하지만 병은 사람에게서 사람으로 전파되기 때문에 누군가 백신을 맞지 않겠다고 거부하면 공동체의 다른 사람들에게도 영향을 미친다. 어떤 사람이 백신을 맞지 않았다가 병에 걸리기라도 하면 그 사람은 역시 백신을 맞지 않은 다른 사람들에게 병을 퍼뜨릴 수 있다. 그러므로 되도록 많은 사람에게 백신을 접종하는 일은 공중 보건 정책에서 최우선 과제다.

면역계 : 몸을 지키기

병원체가 몸에 들어오면 우리 몸의 면역계는 활동을 시작한다. 병에 걸린 사람이 어쩌다가 건강한 사람을 향해 재채기를 하면 세균이나 바이러스가 건강한 사람의 코와 입으로 들어간다. 이제 어떤 일이 벌어질까?

세균과 바이러스는 미생물의 두 가지 유형이다. 세균은 한 개의 세포로 구성된 미생물로 세포벽을 가진다. 하지만 대부분의 동식물 세포와는 달리 기관 같은 구조는 없다. 어떤 세균은 사람 몸에 이로운 일을 하지만 어떤 세균은 병을 일으킨다. 바이러스는 세균보다 훨씬 작고 구조적으로도 아주 단순하다. 유전 물질과 이를 둘러싼 단백질막이 전부다. 바이러스는 살아 있는 세포 안에 들어가야만 번식할 수 있다. 세균과 바이러스는 둘 다 표면에 '항원'이라는 물질을 가지고 있다. 항원은 면역계가 외부 침입자로 인식하여 활성화될 수 있는 성분으로, 병원체 표면의 단백질, 지방 또는 탄수화물 어떠한 것도 항원이 될 수 있다. 어떤 병원체가 우리 몸속에 들어오면 면역계는 그것의 항원을 감지한다. 그리고 침입자가 몸에 속하지 않은 존재라는 사실을 알아챈다. 항원이 감지되고 나면 몸속을 돌아다니는 세 가지 유형의 면역 세포가 병원체를 공격하거나 잡아먹기도 한다. 대식 세포, 수지상 세포, B세포가 이런 면역 세포들이다.

하지만 싸움은 이제부터 시작이다. 병원체는 사람 몸속에 들어와서 번식하고 복제하기 때문이다. 면역 세포들이 병원체를 잡아먹는 동안 복제된 또 다른 병원체들이 계속해서 몸을 공격한다. 이 시점에서 면역계는 좀 더 잘 정돈된다. 병원체를 잡아먹었던 면역 세포들은 항원 제시 세포로서 역할을 한다. 이들 세포는 흡수한 항원을 표면에 드러낸다. 항원 제시 세포는 림프샘을 따라 돌아다닌다. 림프샘은 우리 몸 곳곳에 자리한 콩 모양의 기관이다. 림프샘 안에서는 수많은 면역 세포들이 모여 면역계의 지시를 기다린다.

　항원 제시 세포들은 림프샘에 모인 면역 세포들에게 항원을 보여 준다. 이렇게 항원을 보고 나면 T세포와 보조 T세포가 활성화되며, 활성화된 보조 T세포에 의해 B세포도 덩달아 활성화된다. 이 세포들이 활성화되면 몸에 침입한 특정 병원체에 맞서 싸울 준비를 하는 셈이다. 활성화된 보조 T세포는 B세포와 T세포에게 어떤 병원체를 찾아야 하는지 알려 주고, 더 많은 면역 세포들이 싸움에 나서도록 훈련시킨다.

　면역계는 여러 가지 방식으로 침입자를 공격한다. 활성화된 B세포는 '항체'라고 불리는 Y자 모양의 조그만 단백질을 수억 개 만들어 내보내는 공장이 된다. 항체는 몸에 침입한 병원체의 항원에 정확하게 들어맞도록 만들어진다. 이렇게 만들어진 항체는 세균 세포나 자유롭게 돌아다니는 바이러스 세포를 에워싼 다음 항원을 꽉 붙들어 꼼짝 못 하게 함으로써 스스로 복제하는 병원체의 기능을 무력화한다.

　한편, 활성화된 T세포는 보조 T세포가 되거나 살상 T세포라는 새로운 유형의 세포가 된다. 보조 T세포는 세균을 죽이도록 다른 면역 세포들을 자극해 일깨운다. 바이러스가 인체에 감염하면 몸속 세포에 들어가 세포의 기능을 장악하고 더 많은 바이러스를 만들어 내도록 지시한다. 살상 T세포는 바이러스가 장악한 몸속 세포에서 항원을 찾아내 그 세포를 파괴한다.

면역계는 어떻게 작동할까?

어떤 병원체가 우리 몸속에 들어오면 특정 면역 세포들이 병원체를 공격해 파괴한다. 그리고 다른 면역 세포들은 그 병원체를 기억해 병원체가 몸속에 다시 들어왔을 때 어떻게 물리칠지 알게 된다.

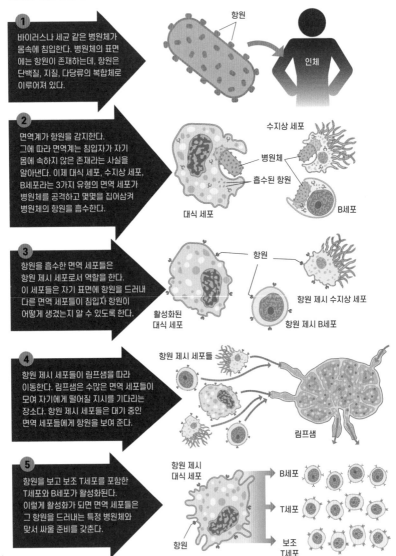

1
바이러스나 세균 같은 병원체가 몸속에 침입한다. 병원체의 표면에는 항원이 존재하는데, 항원은 단백질, 지질, 다당류의 복합체로 이루어져 있다.

항원
인체

2
면역계가 항원을 감지한다. 그에 따라 면역계는 침입자가 자기 몸에 속하지 않은 존재라는 사실을 알아낸다. 이제 대식 세포, 수지상 세포, B세포라는 3가지 유형의 면역 세포가 병원체를 공격하고 몇몇을 집어삼켜 병원체의 항원을 흡수한다.

수지상 세포
병원체
흡수된 항원
B세포
대식 세포

3
항원을 흡수한 면역 세포들은 항원 제시 세포로서 역할을 한다. 이 세포들은 자기 표면에 항원을 드러내 다른 면역 세포들이 침입자 항원이 어떻게 생겼는지 알 수 있도록 한다.

항원
항원 제시 수지상 세포
활성화된 대식 세포
항원 제시 B세포

4
항원 제시 세포들이 림프샘을 따라 이동한다. 림프샘은 수많은 면역 세포들이 모여 자기에게 떨어질 지시를 기다리는 장소다. 항원 제시 세포들은 대기 중인 면역 세포들에게 항원을 보여 준다.

항원 제시 세포들
림프샘

5
항원을 보고 보조 T세포를 포함한 T세포와 B세포가 활성화된다. 이렇게 활성화가 되면 면역 세포들은 그 항원을 드러내는 특정 병원체와 맞서 싸울 준비를 갖춘다.

항원 제시 대식 세포
항원
B세포
T세포
보조 T세포

6 활성화된 보조 T세포는 나머지 면역계의 반응을 조정한다.

7 면역계는 다음과 같은 여러 방식으로 침입자를 공격한다.

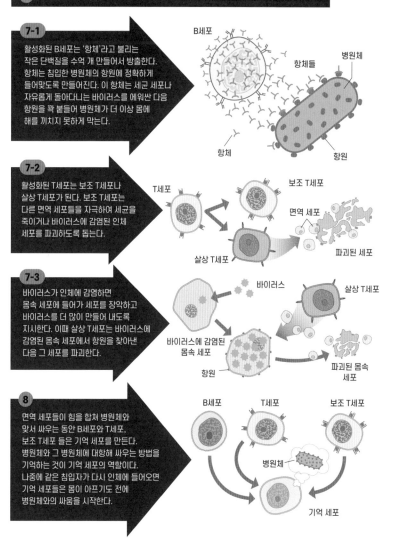

7-1
활성화된 B세포는 '항체'라고 불리는 작은 단백질을 수억 개 만들어서 방출한다. 항체는 침입한 병원체의 항원에 정확하게 들어맞도록 만들어진다. 이 항체는 세균 세포나 자유롭게 돌아다니는 바이러스를 에워싼 다음 항원을 꽉 붙들어 병원체가 더 이상 몸에 해를 끼치지 못하게 막는다.

B세포
항체들
병원체
항체
항원

7-2
활성화된 T세포는 보조 T세포나 살상 T세포가 된다. 보조 T세포는 다른 면역 세포들을 자극하여 세균을 죽이거나 바이러스에 감염된 인체 세포를 파괴하도록 돕는다.

T세포
보조 T세포
면역 세포
살상 T세포
파괴된 세포

7-3
바이러스가 인체에 감염하면 몸속 세포에 들어가 세포를 장악하고 바이러스를 더 많이 만들어 내도록 지시한다. 이때 살상 T세포는 바이러스에 감염된 몸속 세포에서 항원을 찾아낸 다음 그 세포를 파괴한다.

바이러스
살상 T세포
바이러스에 감염된 몸속 세포
항원
파괴된 몸속 세포

8
면역 세포들이 힘을 합쳐 병원체와 맞서 싸우는 동안 B세포와 T세포, 보조 T세포 들은 기억 세포를 만든다. 병원체와 그 병원체에 대항해 싸우는 방법을 기억하는 것이 기억 세포의 역할이다. 나중에 같은 침입자가 다시 인체에 들어오면 기억 세포들은 몸이 아프기도 전에 병원체와의 싸움을 시작한다.

B세포
T세포
보조 T세포
병원체
기억 세포

* 위 그림은 이해를 돕기 위한 것으로, 실제 크기에 비례하여 그려진 것이 아니다.

이렇게 면역 세포들이 힘을 합쳐 병원체의 감염을 물리치는 동안 B세포와 T세포, 보조 T세포는 기억 세포를 만들어 낸다. 병원체와 그 병원체에 대항해 싸우는 방법을 기억하는 것이 이 세포의 역할이다. 병원체와의 첫 번째 싸움에서 생산된 항체들은 상비군처럼 항상 머물며 침입자가 다시 오면 언제든 싸울 준비가 되어 있다. 이제 이 면역계의 주인은 이 병에 대한 면역을 갖췄다. 같은 병원체가 몸에 다시 침입하면 재빨리 기억 세포와 항체가 나타나 증상이 나타날 새도 없이 병원체를 물리칠 것이다.

면역계에 방아쇠를 당기는 백신

백신은 면역계가 방어해야 할 바이러스나 세균을 이용해 만들기 때문에 마치 침입자가 등장한 것처럼 면역계를 속일 수 있다. 즉, 백신은 면역계의 세포들이 활성화하도록 병원체의 항원과 똑같은 항원을 보여 준다. 하지만 백신이 우리 몸에 해를 끼치지는 않는데, 힘이 약화됐거나 이미 죽은 바이러스나 세균으로 만들어지기 때문이다. 백신은 백신을 맞은 사람이 진짜로 병에 걸릴 위험 없이 그 병에 대응하도록 면역계를 활성화한다.

기본적으로 백신 접종은 소방 훈련과 비슷하다. 학교에서 비상벨이 울리고 학생들이 질서정연하게 줄 서서 밖으로 대피하는 소방 훈련 과정은 진짜 불이 났을 경우를 대비한 것이다. 훈련을 마치고 나면 실제로 불이 났을 때 어떻게 안전하고 신속하게 대응할 수 있는지 알게 된다. 이와 마찬가지로 백신은 특정 질병과 맞서 싸우도록 면역계를 훈련한다. 그것이 훈련이라는 사실을 우리 몸이 알아차리지는 못하지만 말이다. 백신에는 병원체의 항원이 포함되어 있기 때문에 진짜 병원체가 몸에 침입한 것처럼 면역계를 속인다. 면역계는 그 항원을 공격하도록 연습하고 어떻게 항원과 싸우는지 기억하게 되는데, 이것이 '면역'이라고 불리는 과정이다. 그러다 진짜 병원체가 침입하면 면역 세포는 백신을 통해 처음 그 질병을 알게 되었을 때보다 더욱 빠르고 강하게 반응한다.

집단을 보호하기

백신은 개인이 질병과 맞서 싸우도록 몸을 훈련시킨다. 그런데 백신을 많은 사람에게 널리 접종하면 집단 전체 수준에서 면역이 생길 수 있다. 백신 접종률이 높은 공동체에서는 병이 그렇게 널리 퍼지지 못한다. 그 병에 취약하며 다른 사람에게 병을 퍼뜨릴 사람이 아주 적기 때문이다.

보건 의료 담당자들에 따르면 백신을 접종받은 사람이 많은 공동체는 집단 면역 수준이 높아진다. 달리 말하면 공동체 수준의 면역이 생긴 것이다. 집단 면역은 대규모 발병을 예방하고, 무방비 상태에 놓인 사람들을 보호하는 데 필수적이다. 예컨대 홍역에 걸린 사람이 백신 접종률이 높은 인구 집단에 들어오면, 한두 명은 홍역에 걸릴 수 있겠지만 대규모 발병은 일어나지 않는다. 백신을 접종받은 나머지 구성원들이 백신을 접종받지 않은 사람들을 보호하는 셈이다. 이와 비슷하게 어떤 가정에서 대부분의 구성원이 백신을 맞으면 백신을 맞지 않은 구성원을 보호할 수 있다.

사람들이 백신을 맞지 않는 이유는 여러 가지다. 먼저 나이가 너무 어려서 백신을 맞을 수 없는 경우가 있다. 미국에서는 생후 2개월 된 아기는 B형 간염 백신 한 가지만 맞을 수 있다(한국에서는 생후 1개월 이내에 결핵 백신BCG 접종과 B형 간염 백신 1차 접종이 이루어진다). 그래서 이 시기의 아기들은 다른 질병에 취약하다. 아기들이 홍역-유행성 이하선염-풍진 백신MMR이나 수두 백신을 맞으려면 생후 12개월은 지나야 한다. 만약 아기들이 생후 12개월이 되기 전에 이런 질병을 접하면 병에 걸릴지도 모른다.

노인 역시 다른 이유로 질병에 취약하다. 예컨대 백신 성분에 심한 알레르기를 일으키는 의학적 문제를 안고 있다면 특정 백신을 맞지 못한다. 에이즈나 암에 걸렸거나, 항암 치료를 받고 있어서 면역계가 약화된 탓에 백신이 효과가 없을 수도 있다. 그뿐 아니라 나이가 들면 면역계의 효율이 떨어지기도 한다.

마지막으로 어떤 사람들은 백신으로 보호받지 못할 수도

있다. 어떤 백신도 접종받은 사람을 모두 지켜 주지는 못하는데, 특정 백신에 몸이 반응하지 않는 사람이 있기 때문이다. 로타바이러스 백신이 그 사례다. 이 백신은 접종받은 어린이에 대해 74~87%의 효과를 보였다. 또 백일해 백신은 처음에는 80~85%의 효과가 있다가 시간이 갈수록 면역력이 사라진다.

가장 두려운 홍역 합병증

홍역에 걸리면 1000명의 환자 가운데 1~2명꼴로 사망하거나 뇌 손상을 일으킨다. 그런데 이보다 더 희귀한 합병증으로 아급성 경화범뇌염(SSPE)이 있다. 홍역 환자 10만 명 가운데 4~11명꼴로 이 증상을 겪는다. SSPE는 뇌 기능을 퇴행시킨다. 하지만 홍역 바이러스에 감염되고 6~8년 뒤에야 증상이 나타나며 가끔은 20~30년 뒤에 증상이 발현되기도 한다.

SSPE의 초기 증상은 기억력 상실, 언어 능력 상실, 자극 과민성, 변덕, 사고 기능의 저하이다. 뇌가 계속 퇴행하면서 증상은 점점 악화된다. 결국 환자는 혼수상태에 빠져 여러 해를 보내다가 사망한다. SSPE의 치료법은 존재하지 않는다. SSPE에 걸린 환자는 모두 사망에 이르렀으며, 보통은 진단을 받고 1~3년 뒤에 목숨을 잃지만 몇몇 환자들은 10년 이상 혼수상태에 빠져 있기도 했다.

"홍역 바이러스가 환자의 뇌나 중추 신경계의 희귀한 개체 안에 머물다가 천천히 세포에서 세포로 퍼지는 경우라 이 질환은 꽤 당혹스럽습니다." 미국 메릴랜드주 볼티모어의 존스홉킨스 블룸버그 공중보건대학에서 '국제 질병 역학 및 통제'를 강의하는 닐 핼시(Neal Halsey) 교수의 말이다. 비록 이 치명적인 합병증이 매우 드물기는 하지만, 의사와 공중 보건 담당자들은 이 질환이 홍역처럼 과거에 흔했던 감염병에 대해 백신을 접종해야 할 필요성을 말해 주는 사례라고 지적한다.

집단 면역이란?

만약 어떤 집단에서 소수의 사람들만 백신을 맞는다면 전염병은 백신을 맞지 않은 나머지 사람들을 통해 쉽게 퍼진다. 하지만 대부분의 사람들이 백신을 맞으면 전염병의 확산을 억제할 수 있다.

상황1 : 집단 면역 부재

아무도 백신을 접종하지 않음.

질병이 사람들 사이에 널리 퍼진다.

상황2 : 제한적인 집단 면역

집단 구성원의 소수만 백신을 접종함.

질병이 집단 일부에 퍼진다.

상황3 : 효과적인 집단 면역

집단 구성원 대부분이 백신을 접종함.

질병의 전파가 억제된다.

 백신 접종을 한 건강한 사람

 백신 접종을 하지 않았지만 아직 건강한 사람

 백신 접종을 하지 않은 보균자

 백신 접종을 하지 않고, 질병에 걸려 전염성이 있는 사람

26

이처럼 몇몇 구성원이 개인적으로 면역이 안 된다 해도 공중 보건 담당자들은 공동체 전체를 보호하기 위해 집단 면역에 의존한다. 가령 너무 많은 공동체 구성원이 백신을 맞지 않으면 집단 면역이 깨져 질병이 더 쉽게 퍼질 것이기 때문이다. 집단 면역을 형성하기 위해 필요한 백신 접종률은 질병에 따라 다르다.

백신에는 무엇이 들어 있을까?

백신에서 가장 중요한 성분은 항원이다. 항원은 병원체의 일부로 면역계가 항원을 인식하면 나중에 그 병원체와 맞서 싸우도록 우리 몸이 준비할 수 있다. 백신에는 힘이 약화됐거나 불활성화된 바이러스나 세균이 들어 있어 이런 항원을 몸속에 운반한다. 아니면 병원체에서 비롯한 단백질만 들어 있기도 한다. 여기에 더해 백신에는 좀 더 안전하고 안정성과 효율성을 높이는 다른 성분도 들어 있다.

백신을 만들기 위해 과학자들은 먼저 항원을 옮길 바이러스나 세균을 배양한다. 이 과정에서 바이러스는 감염시킬 숙주가 필요하고, 세균은 영양분이 풍부한 환경이 필요하다. 그런 물질로는 달걀흰자, 닭의 배아, 곤충 세포를 비롯해 사람이나 소의 혈청(혈액에서 뽑은 황색의 투명한 액체) 따위를 들 수 있다. 그뿐만 아니라 바이러스와 세균을 증식시키려면 아미노산, 우유에서 얻은 카세인(인단백질의 하나), 당분, 탄수화물, 비타민 같은 영양분과 효모도 필요하다. 최종적으로 만들어진 백신에는 이런 성분들이 소량 남아 있을 수도 있다.

백신의 주요 성분은 다음 몇 가지 범주로 묶인다.

안정제 : 젤라틴이나 설탕 같은 것으로, 백신 속의 모든 구성 성분이 잘 섞이도록 돕는다. 또한 각 성분이 부패하거나 효과가 사라지지 않게 막는다.

면역 보조제 : 보통 알루미늄이 쓰이며, 백신에 대한 몸의 면역 반응을 증폭시킨다.

보존제 : 독감 백신에 든 티메로살 같은 성분으로, 백신에 곰팡이나 새로운 세균이 자라지 않도록 한다.

항생제 : 네오마이신이 사용되는 경우가 많다. 백신 제조 과정에서 새로운 세균이 백신 안에서 자라지 않게 한다. 겐타마이신, 폴리믹신, 스트렙토마이신 같은 항생제도 쓰인다.

포름알데히드 : 바이러스나 세균을 불활성화하는 데 사용되며, 백신 제조 과정 초기에 쓰이고 이후 희석된다. 아주 적은 양이 최종적으로 만들어진 백신에 남아 있을 수도 있다.

몹시 드물지만 이런 성분들 가운데 하나가 백신을 맞는 사람에게 알레르기 반응을 일으키기도 한다. 주로 달걀흰자나 젤라틴 성분이 범인이다.

백신은 왜 여러 유형으로 만들어질까?

    모든 병원체가 똑같은 방식으로 행동하는 것은 아니다. 그래서 과학자들은 각각의 세균이나 바이러스의 활약을 억제하기 위해 여러 유형의 백신을 만들어야 한다.

    약독화 생백신 : 약화된 바이러스나 살아 있는 세균으로 이루어져 있다. MMR, 수두, 로타바이러스, 대상포진 백신이 이런 약독화 생백신이다. 병원체를 약화시키기 위해 가장 흔히 쓰는 방법은 병원체를 인간이 아닌 숙주에서 여러 대에 걸쳐 기르는 것이다. 그러면 시간이 갈수록 병원체는 그 숙주를 감염시키는 능력이 좋아진다. 이렇게 여러 대가 지나면(보통 200세대 이상) 병원체는 새로운 숙주의 몸속에서는 무척 잘 자라지만 사람의 몸속에서는 더 이상 복제하지 못한다. 이런 병원체들은 사람의 면역계를 자극하며 여전히 면역 반응을 일으키지만 힘이 약해 인체에 해를 끼치지는 못한다. 약독화 생백신은 가장 큰 면역 반응을 일으키는 백신이지만, 부작용을 일으킬 위험도 가장 높다. 아주 희귀한 사례이기는 하지만 소아마비 생백신 같은 일부 백신은 몸속에서 변이를 일으키기도 한다. 사람의 몸에 실제로 질병을 일으키는 형태로 되돌아가는 것이다.

    불활성화 백신 : 죽은 세균이라든지 열이나 방사선, 또는 포름

알데히드 같은 화학 물질을 가해 불활성화된 바이러스를 담고 있다. A형 간염 백신이나 광견병 백신이 그 예다. 불활성화된 병원체는 사람의 몸속에서 복제를 하지 못한다. 이렇듯 불활성화 백신 속의 병원체는 스스로 증식하지 못하므로 병을 일으키지도 못한다. 하지만 면역계는 불활성화된 병원체를 여전히 침입자로 인식해 반응한다. 이 반응은 생백신에 비하면 약하기 때문에 면역을 유지하기 위해 나중에 추가로 백신을 더 맞아야 할 수도 있다.

톡소이드 백신 : 세균 자체보다는 세균이 만들어 낸 독소가 병을 일으키는 경우에 사용된다. 디프테리아 백신이나 파상풍 백신이 그 예다. 과학자들은 이런 백신을 만들기 위해 독소에서 몸에 해를 끼치는 부분을 파괴해 비활성화한 다음 '톡소이드'라고 불리는 성분을 남긴다. 몸속 면역계가 톡소이드 백신을 마주하면 톡소이드를 공격한다. 그리고 몸속 기억 세포들은 이 독소 전체에 대항해 싸우는 방법을 배운다. 톡소이드도 넓은 의미로는 불활성화 백신이다.

구성단위 백신 : 병원체의 특정 부분으로만 이뤄진 백신이다. 주로 단백질이 그 성분인데, 단백질은 면역계를 자극하는 항원의 하나이기 때문이다. 불활성화 백신과 마찬가지로 구성단위 백신 역시 병을 일으키지 않으면서 인체가 병원체에 대항해 싸우도록 준비시킨다. 백일해 백신과 독감 백신이 이런 유형의 백신이다.

재조합 백신 : 유전공학 기술을 활용해 만들어진 구성단위 백

신이다. B형 간염 백신과 사람 유두종 바이러스 백신^{HPV}이 그 예다. 유전자란 생명체가 성장하고, 제 기능을 하고, 번식하는 방법에 대한 지침을 담고 있는 화학 물질이다. 유전자는 세포 안에 들어 있는 사슬 같은 분자인 디옥시리보핵산^{DNA}의 가닥에서 발견된다. 과학자들은 재조합 백신을 만들기 위해 질병을 일으키는 병원체에서 특정 단백질을 만들어 내는 유전자를 추출하여 인체에 해를 끼치지 않는 효모나 세포에 집어넣는다. 이 효모나 세포는 질병을 일으키는 병원체의 특정 단백질을 대량으로 생산하고, 이렇게 생산된 단백질을 백신으로 만들어 접종하면 면역계가 알아보고 공격한다.

결합 백신 : 폐렴구균, b형 헤모필루스 인플루엔자^{Hib}, 뇌수막염 백신이 이런 유형이다. 이들 백신은 다당류(당 분자의 하나) 막 아래 자기를 숨기고 있는 세균에 대항해 싸우는 구성단위 백신이다. 아직 덜 성숙한 유아기의 면역계는 세균의 이런 위장 작전을 인식하지 못한다. 과학자들은 결합 백신을 만들기 위해 면역계가 인식하는 병원체에서 항원(주로 단백질)을 가져다가 막에 붙인다. 그러면 면역계가 항원을 공격하면서 다당류 막 역시 공격하고 그것을 기억한다.

DNA 백신 : 최근에 등장한 백신으로, 가장 뛰어난 유형이지만 아직 실험 단계에 있다. 헤르페스와 독감에 대항하는 DNA 백신이 개발되고 있다. 과학자들은 병원체가 항원을 만드는 데 필요한 정보가 어느 유전자에 위치하고 있는지 알아내기 위해 병원체의 DNA를 분석한다. 그리고 특정 질병에 대항하기 위한 백신에 해당 항원의 유전자를 넣어 준다. 이 DNA 백신이 인체에 들어가면 백신에 따라 각각 다른 유형의 세포들이 유전자를 발견해 그 지시 사항에 따라 항원을 만들어 낸다. 그러면 면역계가 그 항원에 반응한다.

mRNA 백신: 화이자 백신BNT162b2 mRNA COVID-19 Vaccine, 모더나 백신mRNA-1273 등 코로나19 백신에 최초로 이용된 백신 기술이다. 코

학명이 나타내는 것

과학자들은 동물과 식물, 세균을 비롯한 지구상의 모든 알려진 생물 종에 두 단어로 이루어진 학명을 붙인다. 생물 종에 이름을 붙이는 이 방식은 '이명법'이라고 불리는데, 18세기에 스웨덴의 식물학자 칼 폰 린네(Carl von Linne)가 만들었다.

첫 글자가 대문자로 표기된 학명의 첫 번째 단어는 '속'이라는 생물의 한 범주를 나타낸다. 같은 속에 들어가는 생물은 서로 가까운 친척이다. 예컨대 사자와 호랑이는 표범속(Panthera)에 들어간다. 그리고 소문자로 표기된 학명의 두 번째 단어는 그 생물이 속한 특정한 종을 나타낸다. 다른 모든 종들과 구별되는 그 생물 종의 이름이다. 예를 들어 사자라는 종의 학명은 판테라 레오(Panthera leo)이고, 호랑이는 판테라 티그리스(Panthera tigris)다. 학명을 표기할 때에는 이탤릭체(기울임체)로 표기한다.

가끔은 속명을 대문자인 첫 글자만 따서 표기하기도 한다. 파상풍을 일으키는 파상풍균은 학명이 클로스트리디움 테타니(Clostridium tetani)인데 C. tetani로 줄여서 표기한다.

백신을 제조하는 유전공학 기술

과학자들은 백신을 제조하는 전통적인 방식이 효과가 없거나 안전하지 않을 때 유전공학을 활용한다. 이런 유전공학 기술에는 유기체의 특성을 바꾸기 위해 의도적으로 유기체의 DNA를 변형시키는 것이 포함된다. 이렇게 유전공학 기술로 만들어진 백신을 '재조합 백신'이라고 부른다. 과학자들이 유전자를 재조합해 면역계가 반응하는 성분을 만들었기 때문이다. 최초의 재조합 백신은 1980년대에 만들어진 B형 간염 백신이다.

과학자들은 재조합 백신을 만들기 위해 병원체에서 DNA 조각을 잘라 낸 다음 실험실에서 이 DNA를 조작한다. 이때 DNA에서 유전자를 제거하거나 덧붙이기도 하고 유전자 한 가지를 변형하기도 한다. 흔한 방법 가운데 하나는 질병을 일으키는 병원체에서 가져온 유전자를 인체에 해가 없는 '운반체'의 DNA에 집어넣는 것이다. 이런 운반체는 보통 자연적으로 인체에 해가 없거나 과학자들이 해롭지 않게 변형시킨 바이러스다.

이렇듯 병원체의 유전자를 하나 이상 운반하도록 유전적으로 변형된 바이러스가 백신으로 이용된다. 이 백신을 접종받았을 때 백신 속 바이러스 자체가 사람의 몸에 해를 끼치는 일은 없다. 하지만 바이러스 속 병원체의 유전자가 단백질을 만들고, 이 단백질을 사람의 면역계는 외부 침입자로 인식한다. 그러면 면역계는 이런 단백질과 싸우기 위해 항체를 만든다. 병원체에 대항하는 면역이 생기는 것이다. 만약 백신을 맞은 사람이 나중에 그 병원체를 다시 만나면 면역계는 그 사람이 병을 앓기도 전에 병원체를 공격해 해치운다. 코로나19에 대항하기 위해 옥스포드대와 아스트라제네카사가 만든 백신도 아데노바이러스를 운반체로 이용한 일종의 유전자 재조합 백신이다.

미국 국립알레르기·전염병연구소에서 한 과학자가 유전 물질로 실험하며 백신을 연구하고 있다.

로나19 바이러스의 주요 항원인 스파이크 단백질을 만드는 전령 RNA를 리피드나노파티클^{LNP}로 감싸 주사를 통해 체내에 넣어 주고, 이 전령 RNA가 우리 몸속 세포 내의 아미노산들을 이용해 스파이크 단백질을 생산하도록 만든다. 이렇게 만들어진 스파이크 단백질에 면역계가 반응하여 실제 감염에 대비를 하도록 한다.

백신은 어떻게 투여할까?

보건 의료 관계자들은 다음과 같은 방식으로 백신을 인체에 투여한다. 입으로 삼키기, 코로 흡입하기, 네 가지 유형의 주사로 투여하기가 그것이다.

로타바이러스 백신과 약독화 생백신인 소아마비 백신, 티푸스 백신이 입으로 삼키는 경구 백신이다. 그와 달리 생백신인 독감 백신은 콧구멍을 통해 들이마시는 형태다.

네 가지 유형의 주사 가운데 하나는 근육에 맞는 것이다. B형 간염이나 불활성화 소아마비 백신은 팔이나 다리 근육에 주사한다. 한편 홍역이나 황열병 백신은 피하 주사의 형태로 피부와 근육 사이의 지방층에 주사한다. 그리고 결핵 백신처럼 피부 표면 바로 아래로 투여하는 피내 접종을 하거나 피부에 주사액을 바르고 여러 개의 바늘로 찌르는 경피 접종을 하기도 한다. 백신 제조사에서 여러 백신을 하나의 주사에 합쳐 환자가 주사를 여러

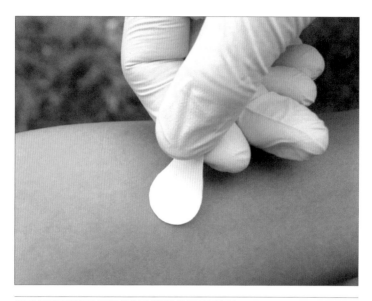

미국 조지아공과대학의 의학공학자들이 개발한 이 조그만 패치에는 작은 바늘이 붙어 있고 그 끝에 백신이 있다. 접종받는 사람이 이 패치를 피부에 몇 분만 붙였다가 떼어 내면 백신이 피부 안쪽으로 충분히 흡수된다. 사진에서는 실험 자원자가 패치를 피부에 실제로 붙이고 있다.

번 맞지 않도록 하기도 한다. 미국에서는 홍역-유행성 이하선염-풍진 백신MMR과 디프테리아-파상풍-백일해 백신DTaP 또는 Tdap 두 가지를 결합해서 접종한다.

앞으로는 백신 접종을 받을 때 더 여러 가지 방법 중에서 선택할 수 있을 것이다. 과학자들은 무통 패치를 개발하는 중이다. 패치에 아주 작은 바늘이 붙어 있어서 피부에 붙이면 바늘 끝에 있는 백신이 투여된다. 백신을 투여한 후에 패치가 녹는 종류도 있다. 몇몇 연구자들은 얇은 필름 형태의 구강 청량제와 비슷하게 민트 맛이 나면서 혀에서 녹는 경구용 백신을 개발하고 있다. 먹을 수 있는 백신 역시 연구자들의 또 다른 개척지다. 인간의 면역 반응을 일으키는 단백질을 생산하도록 과일이나 채소의 유전자를 변형하는 것이다. 과학자들은 바나나, 감자, 토마토, 상추, 쌀, 밀, 대두, 옥수수를 먹을 수 있는 백신으로 개발하고 있다. 하지만 이 연구는 아직 초기 단계에 있다.

영유아에게 권장하는 예방 접종 일정

미국 질병통제예방센터의 자문 기구인 예방접종자문위원회 ACIP는 사람들을 위한 적절한 백신 접종 일정표를 발표한다. 예방접종자문위원회는 연구자와 의사들을 비롯해 여러 전문가들로 구성된다. 이들은 1년에 두 차례 모여 특정 백신의 효과에 대한 증거를 검토하고, 권장하는 백신 접종 일정에 변동이 있는지 회의한다.

미국 질병통제예방센터에서는 아이가 태어나서 6살이 될 때까지 영유아 예방 접종 일정표(37쪽 참고)에 따라 백신을 접종해야 한다고 권장한다. 다음 13가지 질병에 대한 백신은 사망이나 심각한 장애의 위험에서 아이들을 지킨다. B형 간염, 로타바이러스, 디프테리아, 파상풍, 백일해, b형 헤모필루스 인플루엔자, 폐렴구균, 소아마비, 홍역, 유행성 이하선염, 풍진, 수두, A형 간염이

미국 질병통제예방센터가 권장하는 영유아 예방 접종 일정표

미국 질병통제예방센터는 영유아에게 권장하는 예방 접종 일정표를 만든다.
이 일정표에 적힌 여러 백신은 각각 맞아야 할 횟수가 다르다.

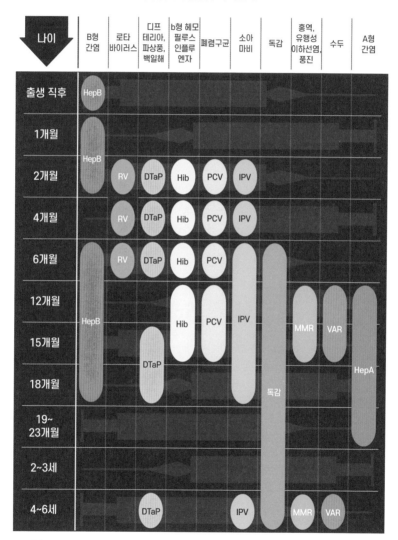

나이	B형 간염	로타 바이러스	디프테리아, 파상풍, 백일해	b형 헤모필루스 인플루엔자	폐렴구균	소아마비	독감	홍역, 유행성 이하선염, 풍진	수두	A형 간염
출생 직후	HepB									
1개월										
2개월	HepB	RV	DTaP	Hib	PCV	IPV				
4개월		RV	DTaP	Hib	PCV	IPV				
6개월		RV	DTaP	Hib	PCV		독감			
12개월	HepB			Hib	PCV	IPV		MMR	VAR	HepA
15개월			DTaP							
18개월			DTaP				독감			HepA
19~23개월							독감			
2~3세							독감			
4~6세			DTaP			IPV	독감	MMR	VAR	

* 타원 안의 글자는 각각의 백신에 대한 간단한 표기법이다.

* 한국은 미국과 비교했을 때 로타바이러스 백신이 빠지고 그 대신 생후 4주 이내에 접종하는 결핵 백신(BCG)과 생후 12개월부터 접종하는 일본뇌염 백신이 포함된다.

그런 질병이다. 그리고 1년에 한 번씩 백신을 맞으면 독감으로부터 아이들을 보호할 수 있다.

언뜻 보기에 질병통제예방센터의 백신 접종 권장안은 부담스러울지도 모른다. 빡빡한 일정표에 깜짝 놀라고, 아이들의 면역계가 과연 일정표에 나열된 백신을 감당할 수 있을지 걱정하는 부모들도 있다. 하지만 질병통제예방센터의 권장안은 수백, 수천 건의 엄밀한 연구 결과를 토대로 만들어졌으므로 이대로 백신을 맞아도 안전하다. 아울러 일정표는 아이들이 백신을 맞아야 할 적당한 시기를 알려 준다.

10대를 위한 백신

영유아뿐만 아니라 열 살 이전 어린이와 10대 청소년을 대상으로 만들어진 미국 질병통제예방센터의 예방 접종 일정표도 있다. 10대 청소년 모두에게 권장하는 백신 세 가지는 다음과 같다. 사람 유두종 바이러스 백신, 디프테리아-파상풍-백일해 백신 추가 접종, 그리고 네 종류의 수막구균이 일으키는 수막구균성 질환에 맞서 싸울 백신이 그것이다(한국은 수막구균이 국가 접종에서 빠져 있다). 수막구균성 질환은 혈류나 뇌, 척수에 감염을 일으킨다. 그리고 이렇게 감염된 환자의 10~15%는 목숨을 잃는다. 살아남은 환자의 11~19%는 뇌 손상, 사지를 절단할 정도로 심한 팔다리의 손상, 청력 상실 같은 심각한 장애를 입는다. 그뿐 아니라 혈청형 B에 의해 발생하는 다섯 번째 유형의 수막구균성 질환에 대항할 백신도 의사와 상의해 맞을 것을 권장한다.

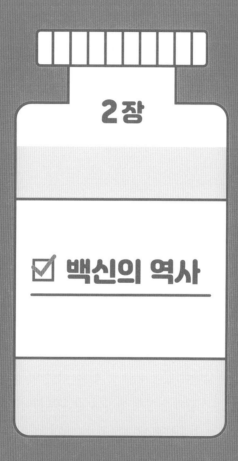

2장

☑ 백신의 역사

21세기 과학자들은 바이러스, 세균, 기생충, 곰팡이 같은 미생물이 병을 일으키는 원인이라는 사실을 안다. 이런 생각을 질병에 대한 '미생물 원인설'이라고 한다. 어떤 미생물은 공기를 타고 전파되기 때문에 환자가 같은 공간에서 숨을 쉬는 것만으로도 다른 사람에게 병을 옮긴다. 그리고 어떤 미생물은 침, 혈액, 눈물, 정액 같은 체액이 있어야 살 수 있다. 이런 미생물은 벌어진 상처나 재채기, 성관계를 통해 환자의 감염된 체액과 접촉할 때 사람들 사이에서 전파된다.

하지만 인류가 미생물이나 미생물 원인설에 대해서 정확히 알지 못했던 19세기 이전에도, 몇몇 사람들은 특정 질병에 걸려서 앓았다가 회복된 사람은 결코 같은 질병에 다시 걸리지 않는다는 사실을 알아차렸다. 그 가운데 가장 무시무시한 병이 천연두였다. 천연두 바이러스는 폐를 통해 몸속에 침입한다. 천연두에 걸리면 피부에 심한 수포가 생겨서 보기 흉하게 얽은 자국이 남는다. 천연두 바이러스는 가끔 눈을 침범해 실명을 가져오기도 하며 팔다리에도 손상을 입힐 수 있다. 과거에는 아이들이 천연두에 걸리면 대부분 목숨을 잃었다.

비록 의사와 연구자들이 20세기 후반에 천연두를 퇴치하기는 했지만, 지난 수천 년 동안 인류는 이 병을 무척 두려워했다. 천연두 바이러스에 노출되면 1~2주 안에 먼저 고열 증상이 나타난다. 그다음으로 두통, 몸살과 함께 눈이 부어오르거나 메스꺼움, 구토가 이어진다. 며칠이 지나 고름이 찬 수포와 발진이 생기면 이때 환자는 병을 옮기는 전염성이 가장 강력해진다. 그리고 이 수포에서 조금씩 고름이 새어 나와 굳어서 딱지가 된다. 보통 3주가 지나 마지막 딱지가 떨어질 때까지 환자는 계속 전염성을 가진다. 20세기에 고대 이집트 파라오인 람세스 5세의 미라를 연구하던 의사들은 파라오의 얼굴에 난 자국이 천연두 때문일 가능성이 높다고 결론 내렸다. 과학자들은 천연두가 기원전 약 1만 년에 아프리카 동북부에서 생겨나 중동, 유럽, 아시아로 퍼졌을 것이라 생각한다.

천연두에는 네 가지 유형이 있는데, 그 가운데 두 종류는 거

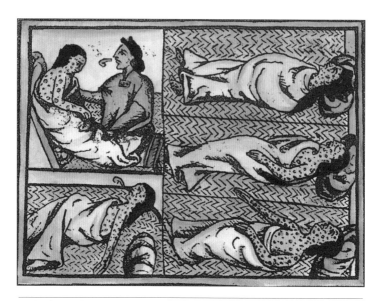

15세기 후반부터 천연두에 감염된 유럽인들이 아메리카 대륙에 와서 원주민들에게 바이러스를 퍼뜨리기 시작했다. 원주민들은 천연두에 자연 면역이 없었기 때문에 이 치명적인 질병은 빠르게 퍼졌다. 16세기에 에스파냐 사람인 베르나디노 데 사아군은 메소아메리카(나중에 멕시코가 된 지역)의 문화와 사람들의 삶에 대한 연대기인 〈피렌체 문서〉를 썼다. 위 그림은 이 문서에 나오는 것으로 천연두에 걸려 죽어 가는 아메리카 원주민의 모습이다. 몸에 난 검은 점이 천연두 수포다.

의 치명적이었다. 나머지 두 종류는 대두창과 소두창이다. 대두창은 천연두에서 가장 흔한 유형으로 병에 걸려 사망할 확률이 30%에 이르고, 소두창은 걸려도 사망률이 고작 1% 정도였다.

기원전 1000년경 중국과 인도의 의사들은 이와 같은 천연두에 걸렸다가 살아남은 사람들은 나중에 다시 같은 병에 걸려도 잘 견뎌 낸다는 사실을 알게 됐다. 그래서 의사들뿐만 아니라 자연의 힘으로 병을 치료하려는 치유자들은 사람들을 소두창에 일부러 감염시켰다. 이렇게 하면 나중에 더 심각한 유형의 천연두에 걸리지 않을 것이라 믿었기 때문이다. 이런 방식을 '인두법'이라 부른다. 의사와 치유자들은 증상이 가벼운 천연두 환자의 고름 딱지를 말려서 가루로 만들었다. 중국에서는 의사들이 관을 이용해 이 가루를 사람들에게 흡입하게 했다. 그리고 인도에서는 치유자들이 사람들의 피부에 상처를 내고 이 가루를 그 속에 문질러 넣었다. 아프리카 동북부의 수단 사람들은 천연두에 걸렸던 사람의 옷을 아이들의 상처 난 팔에 감쌌다. 이런 인두법을 통해 천연두에 감염된 사람은 2~4주 정도 가벼운 천연두 증상을 겪지만 죽거나 얼굴에 흉한 자국이 남는 경우는 드물었다.

널리 퍼지는 치명적인 질병, 천연두

　　유럽에서는 중세 시대(대략 500~1500년)에 천연두가 많은 사람의 목숨을 빼앗았다. 그리고 15세기 후반부터 유럽의 탐험가들은 그동안 천연두를 겪지 않았던 아메리카 대륙에 이 병을 퍼뜨렸다. 아메리카 원주민들은 천연두라는 병을 난생처음 접했기 때문에 면역력이 없었다. 처음에는 이 병이 아메리카 원주민 사이에서 자연적으로 퍼졌다. 하지만 때때로 유럽인들은 원주민들을 죽이기 위해 일부러 천연두를 퍼뜨리려고 했다. 유럽인들은 자기들이 요구하는 넓은 땅과 평화로운 관계를 원주민들이 받아들이

지 않는다면 병을 퍼뜨리겠다고 협박하기도 했다.

천연두 바이러스는 어떤 지역의 사람들을 전멸시키다시피 했다. 나중에 멕시코 땅이 된 지역(중앙아메리카)에서는 천연두가 퍼져 1519년에 2500만 명이었던 아즈텍 인구가 50년 뒤에 300만 명으로 크게 줄었다. 오늘날 미국 남동부가 된 지역에서는 천연두가 도는 바람에 1738년에서 1739년 사이에 원주민인 체로키족은 부족의 거의 절반에 이르는 7000~1만 명이 사망했다.

다시 유럽으로 돌아가 보자. 유럽은 18세기에 매년 40만 명이 천연두로 사망한 것으로 추정된다. 영국의 메리 워틀리 몬터규^{Mary Wortley Montagu}는 1717년에 오스만 제국 대사로 발령이 난 남편을 따라 5살 아들을 데리고 콘스탄티노플(오늘날의 터키 이스탄불)로 갔다. 이곳에서 메리는 인두법을 실시하는 의사들을 발견했다. 남동생을 천연두로 잃고, 자신도 예전에 이 병에 걸려 고생한 적이 있었던 메리는 아들이 천연두에 걸리지 않기를 바랐기 때문에 터키에서 인두 접종을 받게 했다. 영국에 돌아온 뒤에도 메리는 다른 의사로 하여금 4살짜리 딸에게 인두법을 실시하게 했다. 영국의 관리들은 이 방식이 효과가 있는지 시험해 보고 싶어 했다. 그래서 여섯 명의 사형수에게 스스로 인두법의 실험 대상이 되면 사면해 주겠다고 제안했다. 죄수들은 그렇게 했고, 나중에 이들 가운데 몇 명이 천연두에 노출되었지만 병을 앓지 않았다. 이 실험을 통해 더 많은 의사와 정부 관리들이 인두법의 효과를 확신하게 되었다.

18세기 초에 영국의 식민지인 북아메리카 매사추세츠에서 청교도 성직자 코튼 매더Cotton Mather는 어렸을 때 아프리카에서 인두법을 시술받았던 노예한테서 이 방법을 배웠다. 그런데 1721년

종을 넘나들며 전파되는 병원체

인수 공통 감염증 바이러스 같은 일부 바이러스는 자연적으로 인간과 동물 양쪽을 감염시킨다. A형 독감 바이러스가 그런 예다. 원래 특정 동물에게 감염하지만 변이를 일으키면서 인간에게 감염할 잠재력이 생긴 바이러스도 있다. 만약 어떤 사람이 감염된 동물과 가까이 접촉하거나 그 동물을 날고기로 먹으면, 병원체는 사람의 몸속에서 유전형이 살짝 달라지는 변이를 일으키며 인간에게로 훌쩍 뛰어들어 버린다. 과학자들은 이런 과정을 '흘러넘침 효과'라 부른다.

지카바이러스와 인간 면역 결핍 바이러스는 원래 원숭이나 유인원을 감염시켰다. 메르스(MERS, 중동 호흡기 증후군)와 사스(SARS, 중증 급성 호흡기 증후군) 역시 동물에서 비롯됐을 가능성이 높다. 메르스는 낙타에게서 왔고, 사스는 고양이와 비슷한 포유류인 사향고양이에게서 왔을 것이다. 그래서 인간 가까이에서 생활하는 동물 집단에 어떤 감염병이 퍼지면, 과학자들은 흘러넘침 효과를 막기 위해 그 추이를 자세히 관찰한다.

천연두 DNA에 대한 최근의 분석에 따르면 이 병의 두 가지 형태가 지금으로부터 6만 8000년 전에서 1만 6000년 전 사이에 아프리카 대륙의 설치류에게 감염한 것과 비슷한 바이러스에서 진화되었을 것이라 한다. 만약 이것이 사실이라면 천연두 역시 원래 인수 공통 감염증이었던 셈이다. 하지만 인류가 이 병에 대해 처음으로 기록을 남겼던 4세기 무렵이 되면 천연두는 인간에게만 감염되었다. 다시 말해 더 이상 인수 공통 감염증이 아니게 되었다.

4월에 매사추세츠주 보스턴에 도착한 배 한 척으로부터 천연두가 빠르게 퍼져 나갔고, 원래 발생하던 천연두 환자에 비해 훨씬 많은 환자가 생기면서 대규모 발병으로 이어졌다. 매더는 보스턴의 한 의사를 설득해 242명의 시민에게 인두법을 실시하게 했다. 하지만 여러 의사들이 인두법 시행을 반대했다. 가장 큰 이유는 안전 때문이었고, 또 다른 이유는 건강한 사람에게 일부러 병을 감염시키는 것을 혐오했기 때문이다.

그렇지만 병의 유행이 가라앉던 12월 무렵에 인두 접종을 받은 242명 가운데 사망한 사람은 6명(2.5%)뿐인 것으로 드러났다. 이에 비하면 자연적으로 천연두에 감염된 5889명 가운데 사망한 사람은 849명(15%)이었다. 이 통계는 의사들과 대중에게 인두법이 효과적이라는 사실을 설득하는 데 도움이 되었다. 당시 영국으로부터 독립을 얻고자 군인들을 이끌고 싸우던 조지 워싱턴도 천연두와의 싸움에서 거둔 이 승리에 대해 알게 되었고, 모든 군인에게 인두법을 시행하라고 명령했다.

제너의 실험

하지만 인두법이 전혀 위험하지 않은 것은 아니었다. 천연두가 유행하는 동안 인두 접종을 받은 사람들 가운데서도 여전히 사망자가 나왔기 때문이다. 그래서 영국의 의사였던 에드워드 제

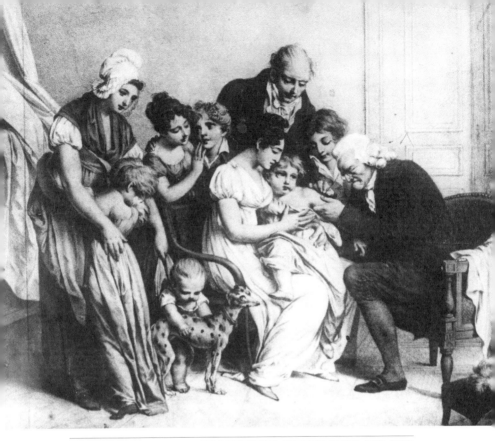

에드워드 제너가 10개월 된 자기 아들에게 우두를 감염시키는 모습을 그린 19세기의 삽화다. 이렇게 우두를 감염시킨 결과 제너의 아들은 천연두 예방 접종을 한 셈이 되었다. 이 실험은 제너가 천연두 백신을 개발하는 데 큰 역할을 했다.

너Edward Jenner는 좀 더 안전한 방법을 찾으려 했다. 제너는 외과 견습생 시절에 소젖을 짜는 한 여성으로부터 자기가 소에게 발생하는 전염병인 우두(소의 천연두)에 걸린 적이 있어서 다시는 천연두에 걸리지 않는다는 이야기를 들었다. 이런 믿음은 소젖을 짜는 여성들 사이에 널리 퍼져 있었다.

천연두를 퇴치하다

백신 덕분에 1949년을 끝으로 미국에서는 천연두 환자가 더 이상 발생하지 않게 되었다. 그리고 이후 수십 년 동안 유럽과 동아시아에서도 백신을 접종한 결과 천연두가 사라졌다. 하지만 이 병이 여전히 돌고 있는 지역도 있다. 1967년에는 전 세계에서 1500만 명이 천연두에 감염되어 200만 명이 사망했다. WHO에서는 1967년부터 천연두를 전 세계적으로 완전히 몰아내기 위한 집중적인 천연두 퇴치 프로그램을 실시했다.

천연두 환자의 발진은 독특하기 때문에 천연두에 걸린 사람을 구별하기가 쉽다. 이 특성이 천연두 퇴치 프로그램에서 무척 중요하게 작용했다. 덕분에 WHO 직원들이 바이러스에 감염된 사람을 쉽게 찾아냈고, 이들과 자주 접촉했던 사람들에게 재빨리 백신을 놓았기 때문이다. 이 프로그램은 성공을 거뒀고, 1970년에는 인도와 중앙아시아에서 천연두가 사라졌다.

1977년 10월 26일에는 아프리카 동부에 있는 소말리아에서 병원 요리사로 일하는 23살 청년 알리 마우 말린(Ali Maow Maalin)이 천연두에 걸렸다는 사실이 드러났다. 그로부터 2주 만에 WHO 직원들은 말린과 접촉했을 가능성이 있는 5만 4777명을 추적해서 백신을 맞혔다. 말린은 전 세계적으로 발견된 마지막 천연두 환자로 알려져 있다.

그리고 말린의 감염 사례가 발견된 지 정확히 2년 뒤인 1979년 10월 26일, WHO의 사무총장은 케냐 나이로비에서 천연두가 완전히 종식되었음을 선포했다. 이렇듯 이 병은 자연 상태에서 퇴치되었지만, 여러 연구소에서는 천연두 바이러스를 여전히 저장하고 있다. 이 바이러스 표본을 파괴할지 말지를 두고 과학자들은 수십 년에 걸쳐 논쟁을 벌이고 있다. 몇몇 전문가들은 테러리스트들이 불법으로 특정 집단에 해를 입히기 위해 천연두 바이러스를 방출할 수도 있다고 걱정한다. 만약 그런 일이 벌어지면 보건 관계자들이 테러의 대상이 된 집단을 지키는 백신을 만들기 위해 바이러스를 비축하고 있어야 한다. 한편 마지막 천연두 환자였던 말린은 2013년에 말라리아에 걸려 사망했다. 죽기 전까지 말린은 보건 의료 담당자들을 도와 소말리아 사람들에게 소아마비 백신을 접종하는 일을 했다.

제너는 의사 자격을 얻고 나서 예전에 들었던 소젖 짜는 여성의 이야기를 과학적으로 검증해 보기로 결심하고, 우두에 걸렸다가 나은 뒤 천연두에 면역을 갖게 된 것으로 보이는 사람들을 연구했다. 1796년 5월 14일, 제너는 사람들 앞에서 공개 실험을 벌였다. 소젖 짜는 여성의 손에 난 우두 수포에서 고름을 얻은 다음, 실험을 허락한 자기네 집 정원사의 아들인 8살 제임스 핍스의 팔에 상처

전 세계에서 마지막으로 천연두에 걸렸던 소말리아인 알리 마우 말린의 모습. 말린은 1977년에 천연두에 걸렸다가 살아남았다. 이 사진에서도 천연두가 말린의 몸에 남긴 얽은 자국이 선명하게 보인다.

를 내 그 고름으로 감염을 시켰다. 제임스는 그 후 며칠 동안 열이 조금 올랐다가 괜찮아졌고 수포가 하나 생겼지만 2주 뒤에 나았다. 제너는 나중에 천연두 환자의 수포에서 뽑아낸 고름으로 제임스를 감염시켰지만 제임스는 천연두에 걸리지 않았다.

제너는 이후에도 실험을 계속해 10개월 된 자기 아들을 포함해 23명에게 우두를 접종했고, 1798년 그 결과를 논문으로 정리해 '우두의 원인과 효과에 관한 연구'라는 소책자로 펴냈다. 제너가 이 실험을 하기 전에도 벤저민 제스티Benjamin Jesty라는 농부가 비슷한 실험을 한 적이 있기는 했지만, 실험 결과를 논문으로 써

서 발표한 것은 제너가 처음이었다. 이렇게 해서 제너가 고안한 우두법은 최초의 백신으로 기록되었다. 라틴어로 소를 뜻하는 말이 바카vacca이며, 여기에서 '백신vaccine'과 '백신 접종vaccination'이라는 용어가 비롯되었다.

곧 백신 접종은 영국에서 흔하게 시행되었다. 제너가 성공했다는 소식이 미국에 전해지면서 백신 접종은 미국에서도 흔해졌다. 1806년에는 당시 미국 대통령 토머스 제퍼슨이 제너에게 다음과 같은 감사 편지를 보냈다. "당신의 발견 덕분에 미래에는 전 세계 사람들이 천연두라는 이 역겨운 질병을 머나먼 옛날 일이라고 여기게 될 겁니다."

새로운 유행병, 소아마비

19세기 후반 프랑스의 화학자인 루이 파스퇴르Louis Pasteur와 독일의 의사인 로베르트 코흐Robert Koch가 질병에 대한 미생물 원인설을 확립하면서 의학은 크게 발전했다. 파스퇴르는 세균이 포도주를 변질시킨다는 사실을 알아냈고, 세균이 병을 일으킬 수 있다고 생각했다. 그리고 코흐는 동물을 일부러 병원체에 감염시킨 다음에 그 동물이 병을 얻게 되는지 아닌지 관찰했다.

파스퇴르는 백신을 연이어 개발했다. 먼저 닭 콜레라를 예방하는 백신, 다음은 인간이 광견병에 걸리지 않게 보호하는 백신이었다. 원래 천연두에 대항해 면역을 유도하는 과정을 가리켰던 '백신 접종'이라는 용어는 이제 다른 여러 감염병에 대해 면역을 얻는 과정으로 폭넓게 쓰였다.

유럽과 미국에서 백신 접종이 실시되면서 천연두 환자는 줄어들었다. 하지만 20세기 초가 되면서 미국에서 소아마비 환자가 늘기 시작했다. 이 병을 일으키는 병원체인 소아마비 바이러스는 오랜 옛날부터 존재해 왔다. 그러나 지난 수천 년 동안 이 바이러스는 심각한 병을 널리 퍼뜨리지는 않았다.

소아마비 바이러스는 물속에 존재한다. 공중위생 체계와 실내 배관이 도입되기 전에는 더러운 물 때문에 대부분의 아기들이 이 바이러스에 노출되었다. 그런데 이렇게 소아마비 바이러스에 노출된 아기들은 보통 아무런 증상을 겪지 않고 소아마비에 대한 면역이 생긴다. 하지만 유년기 후반이나 성년기에 이 바이러스에 감염되면 심각한 증상을 겪는다. 소아마비는 영구적인 근육통과 무력감, 몸의 경직을 일으킨다. 만약 바이러스가 척수를 타고 이동하게 되면 몸의 한 부분이나 전체에 마비를 일으킬 수도 있다. 상체가 마비된 환자들 가운데 일부는 숨을 쉬지 못해 사망한다.

사회가 발달해 점차 위생 상태가 나아지고 깨끗한 물을 쉽게 얻게 되면서 아기들은 소아마비 바이러스에 주기적으로 노출되지 않았고, 따라서 자연적으로 면역을 얻지 못하게 되었다. 그렇게 성장한 뒤 소아마비 바이러스에 노출된다면 이 병에 더욱 취약해질 수밖에 없다. 1916년 여름 미국 뉴욕에서는 소아마비 대유행이 시작되어 2243명이 사망하고 9300명 이상이 몸이 마비되었는데, 대부분은 10살 이하의 어린이였다. 그러다가 1928년에 철폐가 개발되면서 숨을 쉬지 못하는 환자들의 호흡을 도와 소아마비 때문에 목숨을 잃을 뻔한 사람들을 여럿 살렸다.

소아마비라는 병이 특히 다루기 어려운 이유는 바이러스에 감염된 사람의 95%가 전혀 증상이 없지만 여전히 바이러스를 몸에 지니고 다니며 다른 사람에게 옮길 수 있기 때문이다. 어떤 사람이 증상을 보이기 전까지는 누가 감염되었고 전염성이 있는지 알 수 없다. 다시 말해 바이러스에 감염된 사람들을 알아보는 방법이 없기 때문에 누구를 격리(감염병 환자나 면역성이 없는 환자를 다른 사람과 마주치지 않게 다른 곳으로 떼어 놓는 것)해야 할지 알

프랭클린 D. 루스벨트는 미국 대통령에 당선되기 11년 전인 1921년에 소아마비에 걸렸다. 이 병 때문에 당시 39세였던 루스벨트는 허리 아래 하반신이 마비되고 말았다. 루스벨트는 무거운 다리 보조 장치를 차야만 걸을 수 있었고, 이동하기 위해 휠체어를 이용하는 경우도 많았다. 사진은 1941년에 루스벨트가 자기 집을 돌봐 주는 사람의 손녀와 함께 찍은 모습이다.

기도 어렵다. 나중에 소아마비 백신을 개발한 미국 의사 조너스 소크Jonas Salk의 아버지인 피터 소크 Peter Salk는 이렇게 말했다. "사람들은 겁에 질렸죠. 이 병은 경고도 없이 닥쳤고, 누가 그 병에 걸릴지, 누가 걸리지 않을지 예측할 방도가 전혀 없었습니다."

과학자들은 소아마비 백신을 개발하려고 필사적으로 노력했지만, 백신을 만들려는 최초의 시도는 실패로 돌아갔다. 자신도 소아마비 때문에 하반신이 마비된 미국 대통령 프랭클린 D. 루스벨트는 백신 개발을 최우선 과제로 삼았다. 1938년에 루스벨트는 국립소아마비재단을 설립했고, 이곳은 나중에 연구비를 기부받기 위해 '10센트의 행진'으로 이름을 바꾸었다.

1952년에 소아마비는 미국 역사상 최악의 유행병으로 치달아 5만 7628명이 병에 걸리고 3145명이 사망했다. 다행히 그해에 조너스 소크가 소아마비 바이러스에 대항할 실험적인 백신을 개발하는 데 성공했다. 국립소아마비재단에서 연구비를 지원받은 소크는 1953년 5월부터 1954년 3월까지 이 백신을 시험했다. 이 과정에서 소크는 5300명 이상의 자원자에게 백신을 접종했는데 그 가운데는 자신과 아내, 아들 세 명도 포함되었다. 백신을 맞은 자원자 가운데 심각한 부작용을 겪은 사람은 없었고, 시험 결과 모든 자원자의 혈액에 소아마비 바이러스에 대항하는 항체가 생성되었다.

시험에 성공하자 국립소아마비재단은 역사상 최대 규모의

승리 이후에 닥친 재난

공중 보건 분야의 최고 업적 가운데 하나인 소아마비 백신이 개발되고 난 뒤 미국에는 공중 보건 분야에서 최악의 재난이 닥쳤다. 1955년 4월, 소아마비 백신을 접종받은 1살 짜리 남자 아기가 8일 뒤에 몸이 완전히 마비되었다. 곧 비슷한 마비 사례들이 잇달았는데, 이 아이들은 모두 제약 회사인 커터사에서 제조한 백신을 맞았다.

커터사는 1955년 4월에 연방 정부에서 소아마비 백신을 제조하도록 허가받은 5개 회사 가운데 한 곳이었다. 아이들에게 되도록 빨리 백신을 맞혀야 한다는 필요성 때문에, 불활성화 백신이 안전하고 효과가 있다는 발표가 나자 미국 정부에서 고작 2시간 반 만에 5개 회사에 제조 허가를 내주었던 것이다. 맨 처음 배포된 13개 백신 꾸러미 가운데 6개가 커터사의 제품이었다. 첫 번째 마비 사례 소식을 듣자마자 커터사는 48시간 이내에 자신들이 만든 백신을 유통업체에서 회수했다. 하지만 이미 그때 미국에서 거의 40만 명이 커터사의 백신을 맞았고, 대부분이 어린이였다.

문제가 된 커터사의 백신을 살펴본 결과 이 백신에는 3개에 1개꼴로 불활성화된 바이러스 대신 살아 있는 바이러스가 들어 있었다. 결국 커터사의 백신으로 51명의 어린이가 마비 증세를 겪고 5명이 사망했다. 더 나쁜 건 이렇게 백신으로 유발된 소아마비가 다른 사람에게 전염될 수 있다는 점이었다. 그렇게 병이 퍼져 추가로 113명이 마비되고 5명이 목숨을 잃었다.

무엇이 잘못되었을까? 제조 과정에서 실험실 장비의 질이 떨어지는 바람에 바이러스를 죽이는 데 사용되는 포름알데히드가 바이러스 전부를 불활성화된 상태로 만들지 못했던 것이 원인이었다. 커터사는 원숭이를 대상으로 백신을 시험했지만 이 시험은 원숭이 몸속의 살아 있는 바이러스를 감지할 만큼 세밀하지 못했다. 게다가 이 백신에는 유난히 강력한 소아마비 바이러스의 균주가 들어 있었는데, 이 균주는 좀 더 강력한 면역 반응을 일으키는 대신 마비도 더 잘 일으켰다. 나중에 미국 공중 보건 관계자들은 또 다른 제약 회사인 와이어스사에서도 살아 있는 바이러스가 들어 있는 소아마비 백신을 생산했다는 사실을 발견했다. 와이어스사의 백신 때문에 11건의 마비 사례가 추가되었다. 이런 재난이 벌어진 뒤로 미국 정부는 백신 제조 승인에 대한 규제를 더 엄격히 했고, 제조사들은 안전 규정을 더욱 강화했다.

백신 임상 시험을 시행했는데, 여기에 드는 비용 750만 달러는 전부 사람들의 기부로 충당되었다. 임상 시험을 위해 25만 명 이상의 의료계 종사자들이 자원해서 이 '선구적 소아마비 백신'을 접종받았다. 그뿐만 아니라 미국 44개 주에서 180만 명이 넘는 초등학교 1~3학년 아이들도 이 백신을 맞았다.

1955년 4월 12일에 미국 미시건대학교 역학과 학과장이었던 토머스 프랜시스 주니어Thomas Francis Jr.는 소크의 소아마비 백신이 80~90%의 효과를 보이는 '안전하고 효과적이며 강력한' 백신이라고 단언했다. 또 소크의 전기 작가였던 데이비드 오신스키David Oshinsky는 다음과 같이 적었다. "사람들은 거리에서 부둥켜안았고, 아이들은 학교에서 뛰쳐나왔으며, 아이젠하워 대통령이 소크를 백악관에 초청해 눈물을 흘리며 고마워했다. 정말이지 과학과 의학에 대한 큰 믿음이 빛을 발하는 순간이었다." 1955년에서

1953~1954년 백신 시험 기간에 5000명 넘는 자원자들이 조너스 소크의 소아마비 백신을 접종받았다. 사진은 1953년에 소크가 직접 한 어린이 자원자에게 백신을 접종하는 모습이다.

1962년 사이에 미국 전역에서 보건 의료 종사자들은 소크의 백신을 약 4억 회 접종했다. 그리고 이 기간에 미국의 소아마비 발병률은 96% 감소했다.

소아마비 백신을 개발하기 위한 국제적인 노력

조너스 소크가 개발한 소아마비 백신은 불활성화 백신이었다. 그와 달리 바이러스가 살아 있는 생백신도 개발되었다. 미국 오하이오주 신시내티 아동병원의 앨버트 세이빈Albert Sabin 박사는 소아마비 생백신을 만들어 1957~1959년에 동유럽, 아시아, 라틴 아메리카에서 시험을 거쳤다. 미국에서 생산·유통·판매되는 모든 의약품과 의료 기기를 규제하는 미국 식품의약국FDA은 1961년과 1962년에 이 백신의 서로 다른 4개 제제에 대해 승인했다.

하지만 세이빈의 백신은 소크의 백신만큼 안전하지는 않았다. 접종을 받은 사람 가운데 270만 명에 1명꼴로 마비성 소아마비를 일으켰다. 하지만 소크 백신보다는 저렴한 것이 장점이었다. 게다가 소크 백신은 주사로만 투여할 수 있는 데 비해 세이빈 백신은 입으로도 투여할 수 있었다. 입속에 액체 두 방울만 떨어뜨리면 끝이었다. 심지어 의학 훈련을 받지 않은 사람도 이 생백신을 투여할 수 있었다. 이런 장점 덕분에 세이빈의 백신은 전 세계에 걸친 소아마비 예방 접종을 위해 더 나은 선택이었다.

미국에서는 1979년에 소아마비 환자가 발생한 이후로 더 이상은 환자가 나오지 않았다. 1988년에 세계보건기구WHO는 전 세계적으로 소아마비를 퇴치하자는 캠페인을 시작했다. 그에 따라 백신 접종을 꾸준히 실시한 결과, WHO는 1994년에 북아메리카 대륙과 남아메리카 대륙에서, 뒤이어 2000년에는 오스트레일리아와 대부분의 아시아 국가에서 소아마비가 사라졌다고 선언했다. 그리고 유럽에서는 2002년에, 동남아시아에서는 2014년에 소아마비가 사라졌다.

　　WHO의 원래 목표는 2000년에 전 세계에서 소아마비를 종식시키는 것이었다. 그해에 연간 소아마비 감염자 수는 1988년에 비해 90% 줄었다. 하지만 그렇다고 소아마비가 지구상에서 완전히 사라진 것은 아니다. 아프가니스탄, 나이지리아, 파키스탄에서는 여전히 환자가 발생하고 있다. 2014년에는 내전이 일어나 백신 접종 체계가 완전히 무너졌던 시리아에서 소아마비 환자가 다시 나타났다. 이미 소아마비가 퇴치되었다고 여겨졌던 여러 국가에서도 환자가 다시 발생할 수 있다. 자기가 병에 걸렸다는 사실을 모르는 사람들이 이들 국가로 여행을 간다면 말이다. 다시 말해 소아마비 바이러스에 감염된 사람이 이 병이 발생하지 않았고 이 병에 대한 대규모 면역도 없는 지역에 간다면, 단 한 번의 감염이 그곳에 병을 다시 불러들일 수도 있다.

백신 보급의 어려움

21세기 들어 WHO는 전 세계 사람들을 위해 여러 질병에 대항하는 백신 접종 프로그램을 운영하고 있다. 전 세계에 백신을 보급할 때 맞닥뜨리는 큰 어려움은 효과적인 '저온 유통 체계'를 유지하는 것이다. 그 말은 백신 제조사로부터 백신을 맞는 사람에게까지 도달하는 긴 여정에서 백신을 적절한 온도로 유지해야 한다는 뜻이다. 대부분의 백신은 2~8℃에서 냉장 보관해야 한다. 만약 백신이 얼거나 지나치게 높은 온도에서 데워지면 효과가 사라지거나 심지어 몸에 해로울 수도 있다. 보통 백신은 선박이나 트럭의 냉장 컨테이너에 담겨 목적지까지 운반된다. 하지만 가난한 국가는 교통이 불편한 지역이 많다. 이런 지역은 포장도로로 연결되어 있지 않아, 사람들에게 백신을 접종하는 보건 의료 담당자들은 이런 외딴곳까지 이동할 때 보통 자전거를 타거나 걸어서 간다. 그런 경우에는 단열 처리가 된 냉장 박스에 백신을 넣어 운반한다.

전쟁 때문에 백신 운송이 더욱 어려워지기도 한다. 전 세계적으로 여전히 많은 사람들이 전쟁이 벌어지고 있는 지역에 산다. 한편 전쟁을 피해 난민 캠프에서 생활하는 사람들도 있다. WHO가 이끄는 '국제 소아마비 퇴치 계획Global Polio Eradication Initiative, GPEI'의 대변인인 소나 바리Sona Bari의 설명에 따르면 이런 지역에 사

우간다의 한 마을에 냉장 박스에 담긴 백신을 운반하는 보건 의료 담당자의 모습. 이 마을에 백신을 운송하려면 차로 2시간을 가서 2킬로미터를 걸어 들어가야 한다. 이 마을은 병원이나 진료소에서 멀리 떨어져 있어서 백신 접종을 받기가 어렵다. 그래서 보건 의료 담당자들이 백신을 마을까지 가져온다.

는 어린이들에게 백신을 접종하기란 결코 쉽지 않다. "이렇게 정치적으로나 경제적으로 불안정한 외딴 지역에 거주하는 어린이들에게 백신을 맞히러 접근하는 건 무척 어렵습니다. 전 세계에서 가장 위험한 지역이기도 하고요. 거리에서 살거나, 이동하는 중이거나, 어떤 의료 서비스도 받지 못하는 이민자들의 자녀인 이 아이들에게 우리가 어떻게 다가가야 할까요?"

게다가 어떤 질병이 예상치 못하게 대규모로 발병하면 백신이 부족해서 수송과 전달이 더욱 힘들어진다. 2016년 앙골라와 콩고민주공화국에 30년 만에 가장 큰 규모로 황열병이 유행했을 때 이런 일이 벌어졌다. 황열병은 주로 모기가 옮기는 황열 바이러스에 의해 발생하는 악성 전염병으로, 황열 바이러스는 주로 간과 콩팥을 침범한다. 고열이 나고 피가 섞인 검은색의 구토와 황달을 일으키며 사망률이 높다. 그런데 황열병은 더 이상 전 세계 대부분의 국가에서 발생하지 않기 때문에 백신을 생산하는 국가는 얼마 되지 않았다. 국제기구의 백신 담당자들은 재빨리 600만 회 분량의 백신을 생산해 비축했다. 그런 다음 백신을 접종받을 사람들에게 원래 용량의 5분의 1만 맞게 했다. 그러면 원래 용량을 맞았을 때 10년 동안 면역이 생기는 데 비해 1년 동안만 병으로부터 안전했다. 대규모 발병이 끝나기 전인 그해 말까지 400명 가량이 사망한 것으로 추정되었다.

백신 담당자들은 여러 국가에서 폭력을 동반한 저항에 맞닥뜨리기도 한다. 예를 들어 파키스탄에서는 '탈레반'이라 불리는 이슬람 극단주의 무장 단체의 우두머리들이 WHO의 백신 담당자들을 수상쩍게 여겼는데, 여기에는 그럴 만한 이유가 있었다. 2010년에 미국의 첩보 기관인 중앙정보국^{CIA}은 9·11 미국 대폭발 테러 사건의 주모자로 지목한 오사마 빈 라덴이 어디에 있는지 확실히 알아내고자 했다. 빈 라덴은 2001년 9월 11일 미국 뉴욕의 110층 세계무역센터 쌍둥이 빌딩과 워싱턴의 국방부 건물을 공격해 3000명이나 되는 사람들의 목숨을 빼앗은 테러범들의 배후 조종자였다.

CIA는 빈 라덴이 파키스탄 아보타바드의 자기 집에서 가족과 함께 생활하지 않나 의심했다. 그게 사실인지 아닌지 확인하기 위해 CIA는 그곳의 보건 담당자들로 하여금 아이들에게 B형 간염 백신을 맞힌다는 핑계로 각 가정에서 아이들의 혈액을 조금씩 가져오게 하려는 계획을 짰다. 그러면 기술자들이 혈액 속 DNA를 비밀리에 분석해 다른 빈 라덴 가문 사람의 DNA 샘플과 비교할 작정이었다. 가족끼리는 비슷한 DNA를 갖기 때문에 이렇게 분석하면 그 아이가 빈 라덴의 자손인지 확인할 수 있다. 만약 그렇다고 밝혀지면 CIA는 빈 라덴이 아이와 같은 집에 살고 있을 가능성이 높다고 여겨, 미군이 그 집을 급습해 빈 라덴을 생포하거나 사살할 수 있을 것이다. 하지만 백신을 활용하려던 이 계획은 실패했고, 미국 정보원들은 다른 방법으로 빈 라덴이 그 집에 살고 있다는 것을 확인했다. 결국 미군 특수 부대가 2011년 5월에 그 집을 덮쳐 빈 라덴을 사살했다.

하지만 미국이 백신을 활용해 작전을 벌이려 했다는 소문이 전해지면서 전 세계 공중 보건 담당자들은 미국을 비난했다. 그 사건 때문에 국제적인 백신 접종과 보건 관련 계획이 타격을 입었고, 지역 보건 의료 담당자들과의 신뢰가 깨졌다는 것이다. 그 시기에 탈레반은 외부에서 백신을 접종하러 오는 관계자들이 전

퇴치 대 제거

어떤 질병을 퇴치하는 것과 제거하는 것은 다르다. 질병을 퇴치하는 것은 그 병을 지구 상에서 완전히 없앤다는 뜻이다. 병을 퇴치하고 나면 어디서도 그 병에 다시 감염되지 않는다.

공중 보건 담당자들은 먼저 질병을 통제함으로써 그 병을 퇴치하고자 애쓴다. 질병이 새로 발생하는 사례(발생률)나 이미 발생한 사례(유병률)를 줄이고자 하는 것이다. 어떤 국가나 지역에서 질병의 발생률이 0%이면 그곳에서 병은 제거되었다고 말한다. 즉, 그 지역에서 병이 더 이상 유행하거나 퍼지지 않는다는 뜻이다. 이때 만약 병에 감염된 사람이 외부에서 그 지역에 들어오면 공중 보건 담당자들은 대규모 발병이 일어나지 않게 통제해야 한다. 그리고 통제에 성공하면 그 병은 다시 이 지역에서 제거된 것으로 본다. 반면에 공중 보건 담당자들이 어떤 질병이 퇴치되었다고 선언하려면 전 세계 모든 지역에서 적어도 2~3년 동안 그 병이 제거된 상태여야 한다.

지금껏 퇴치된 질병은 그리 많지 않다. 병을 퇴치하려면 전파를 막을 효과적인 방법이 있어야 하며(주로 백신), 감염을 정확하게 확인하고 진단하며 추적할 수 있어야 한다. 천연두는 이 과정이 쉬웠지만, 소아마비는 그것보다 어려웠다. 또 퇴치하려는 질병이 인간 숙주의 몸속에서만 살고 다른 동물의 몸이나 환경에서는 생존하지 못해야 한다. 그렇지 않으면 제거되고 난 뒤에도 사람들을 다시 감염시킬 수 있기 때문이다. 만약 어떤 질병이 이런 기준에 들어맞으면 국가에서는 충분한 자금과 자원, 정치적인 지원을 통해 병을 퇴치하는 작업을 수행해야 한다. 홍역, 유행성 이하선염, 풍진은 이런 조건을 충족시키는 몇 안 되는 질병들이다.

부 미국 정보원이라 확신하고 파키스탄에서 백신 접종을 금지했다. 그리고 2012년 12월 이후, 탈레반 요원들은 파키스탄에서 백신 관계자들이나 그들을 보호하고자 하는 사람을 80명 가까이 살해했다. 이들은 백신 관계자들에게 총을 쏘거나 개들로 하여금 공격하게 했고, 휘발유를 끼얹고 불을 질렀다.

2013년 2월에는 나이지리아에서도 백신 관계자들을 살해하는 일이 벌어졌다. 나이지리아는 한동안 종교 지도자들이 백신의 안전성을 믿지 않던 나라였다. 2003년에는 정치 지도자와 종교 지도자들이 나이지리아의 북부 3개 주인 카노, 잠파라, 카두나 주민들에게 소아마비 백신 접종을 거부하도록 장려했다. 이들은 서구 선진국에서 온 백신이 에이즈나 암, 불임을 일으킨다며 두려워했다. 카노의 한 의사는 남아프리카공화국 신문과의 인터뷰에서 이렇게 말했다. "우리는 현대의 히틀러들(제2차 세계대전 당시 유대인을 비롯한 다른 민족 600만 명을 죽이도록 지시한 독일의 독재자 아돌프 히틀러에 빗대서 하는 말)이 불임을 유도하는 약과 에이즈를 일으키는 바이러스를 경구 소아마비 백신에 섞었다고 생각합니다."

나이지리아에서는 11개월 넘게 백신 접종을 거부했다. 그러다가 WHO와 유니세프UNICEF, 나이지리아 정부 대표자들이 함께 의논한 끝에 지역 지도자들은 2004년 7월부터 백신 접종을 재개하기로 동의했다. 하지만 한때 백신을 거부했던 대가는 컸다.

WHO의 소아마비 퇴치 계획이 폭력에 의해 잠시 방해를 받으면서 나이지리아의 일부 지역에서 소아마비 환자가 늘어났다. 2003년부터 2006년까지 나이지리아에서 소아마비 환자 수는 다섯 배로 훌쩍 뛰었다.

신변에 위험을 느껴 일을 그만두는 백신 접종 관계자들도 있었지만, 주변이 위험한 데다 월급이 형편없는 수준이었는데도 사람들은 일을 계속했다. 국제 소아마비 퇴치 계획의 대표 일라이어스 듀리Elias Durry는 이렇게 말한다. "이 캠페인의 진정한 영웅은 이렇듯 위험한 상황에서도 겁먹지 않고 자기 일을 계속한 백신 접종 담당자들입니다. 이들은 전투를 하도록 훈련받은 군인이 아닙니다. 단지 옳은 일을 하기 위해 그곳에 있을 뿐이죠." 이 단체의 대변인인 소나 바리는 여러 저항이 있어도 백신 접종은 계속되어야 한다고 강조한다. "소아마비 바이러스가 이런 작은 지역에 머물러 있을 때 완전히 몰아내지 못하면 소아마비는 다시 유행할 겁니다. 우리는 파키스탄과 아프가니스탄 국경 지대의 어린이들이 스위스에 사는 어린이들보다 덜 보호받도록 내버려 둘 수 없습니다. 이건 도덕적인 의무입니다."

3장

☑ 백신 만들기

백신을 개발하는 건 결코 간단한 문제가 아니다. 백신학자들은 백신을 개발하기 위해 먼저 특정 미생물에 대해 자세히 살핀다. 이 미생물은 사람의 몸을 어떤 방식으로 공격할까? 그러면 사람의 면역계는 어떻게 반격할까? 인체가 이 미생물과 맞서 싸우도록 하려면 면역계를 어떻게 준비시켜야 할까?

　각각의 병원체는 풀어야 할 수수께끼가 저마다 다르다. 과학자들은 유기체의 모든 부분을 연구해야 한다. 그것이 바이러스든 기생충이든 세균이든, 또는 세균이 방출한 독소든 상관없이 말이다. 백신학자들은 사람의 면역계와 상호 작용하는 병원체를 자세히 살펴본다. 그런 다음 병원체의 일부 조각을 활용하는 방법이라

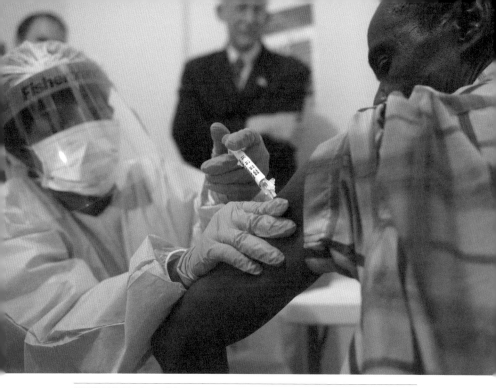

아프리카 서부에서 에볼라 출혈열이 가장 거세게 유행했던 2015년, 미국 국립보건원과 라이베리아의 보건부는 에볼라 백신을 개발해 자원자들에게 시험적으로 접종했다. 사진은 라이베리아 수도 몬로비아의 리뎀프션 병원에서 간호사가 자원자에게 백신을 놓는 모습이다.

든가 그 조각을 다른 물질과 결합하는 방법, 그 조각이 공격해야 할 진짜 침입자라고 생각하게 면역계를 속이는 방법을 알아내야 한다.

미국의 의사이자 백신학자인 스탠리 플로트킨Stanley Plotkin은 이렇게 설명한다. "바이러스와 세균들이 서로 다른 방식으로 활동하며 이들에 대한 면역 반응도 다 다르다는 사실이 백신을 개발하는 데 일반적인 해결책이 없다는 뜻은 아닙니다. 유기체에 대한 생물학적 이해와 함께 사람의 몸에 백신을 투여하기 전에 동물을 대상으로 실험도 많이 해야 합니다. 백신이 사람 몸에 안전하다는 증거와 효과가 있으리라고 믿을 만한 이유가 필요하기 때문이죠."

영국 옥스퍼드대학교의 백신학자인 마이클 셰이Michael Shea는 이렇게 말한다. "어떤 백신이 효과가 있다고 말하려면 네 가지 기준이 충족되어야 합니다. 면역계가 효과적인 반응을 나타내야 하고, 그 반응이 병원체의 모든 주된 균주에게서 나타나야 하며, 백신을 저렴하고 효율적으로 생산할 수 있어야 하고, 부작용은 대중이 받아들일 수 있을 정도로 적어야 합니다."

이때 두 가지 핵심 자원이 필수적이다. 바로 시간과 돈이다. 먼저 대학이나 정부 기관, 제약 회사에서 일하는 과학자들은 수년 또는 수십 년에 걸쳐 병원체를 연구한다. 다시 말해 어떤 종류의 백신이 특정 병원체에 가장 잘 작용하는지 알아보는 실험을 한다. 그리고 가능성이 있는 백신을 여러 개 개발한다. 과학자들은 원숭이 같은 실험동물에게 백신을 시험해 그 백신이 사람의 몸에서 어떻게 작용할지 알아내고 안전한 용량을 결정한다. 만약 개발한 백신의 전망이 좋아 보이면, 연구원들은 지원자 집단에 백신을 접종하는 임상 시험을 순서대로 실시한다. 대학이나 다른 연구소에서는 임상 시험을 감독한다. 민간단체와 정부 기관, 제약 회사들이 연구에 자금을 댄다. 만약 임상 시험 결과 백신이 안전하고 효과가 있다고 밝혀지면 미국에서는 FDA가 백신을 승인한다. 다른 나라에서는 미국 FDA와 비슷한 역할을 하는 기관(우리나라는 식품의약품안전처KFDS)이 백신을 승인한다. 그러면 제약회사는 백신을 생산해 판매할 수 있다.

플로트킨에 따르면 백신을 개발해 정부의 승인을 받는 데 걸리는 기간은 가장 짧게 잡아도 7년이다. 상당수의 백신은 이보다 더 오래 걸려서 최대 20년이 필요할 수도 있다. 그리고 백신을 개발해 승인을 받기까지 드는 비용은 5~10억 달러(우리 돈으로 약 5000억~1조 원)에 이른다.

그 밖에 인적 요소도 중요하다. 백신학자들은 백신을 개발하기까지 녹초가 될 만큼 길고 힘든 작업을 해야 한다. 플로트킨은 이렇게 설명한다. "백신을 개발하려면 연구실에서는 비관주의자가 되어야 하지만 전반적으로는 낙관주의자가 되어야 합니다. 예컨대 자신이 하는 작업이나 자신이 만든 것을 깐깐하게 비판적으로 점검해야 합니다. 백신에 잘못된 점이 없는지 언제나 잘 살펴야 하니까요. 하지만 다른 한편으로 낙관주의자가 아니라면 백신 개발이라는 길고 고된 작업을 견디지 못할 겁니다. 아무리 열심히 한다고 해도 당장 만족스러운 결과를 얻을 수는 없습니다."

백신학자들은 무척 오랜 시간 일하지만, 아무런 성과를 얻지 못하는 경우도 많다. 20세기 초 이래로 개발되기 시작한 백신 수백 가지가 지금은 오도 가도 못 하는 상황이거나 아예 중단된 것도 있다. 백신을 개발하는 어느 단계에서든 장애물이 나타나 작업을 방해한다. 가령 지원받던 연구비가 끊어져 백신 개발이 보류되기도 한다. 안전상의 문제가 생기거나 백신의 효과가 없을 수도 있고, 대중이나 정치권의 관심을 받지 못하는 경우도 있다. 또는 제약 회사에서 백신을 생산하는 데 지나치게 많은 비용이 든다거나 금전적인 손해를 입을까 봐 두려워서 백신 개발에 시들해지기도 한다.

어떤 질병에 대한 백신 개발은 누가 그 질병에 신경 쓰고 염려하는지에 달려 있는 경우가 많다. 예를 들어 캐나다 공중보건국은 에볼라 출혈열의 백신을 개발하는 작업을 감독했다. 하지만 2005년에 시작된 백신 개발은 그 뒤로 10년 넘게 관심 밖으로 밀려나 있었다. 그러다가 2014년에 서아프리카에서 역사상 가장 큰 규모의 에볼라 출혈열 유행이 발생하고 미국의 간호사 두 명이 바이러스에 감염되면서 상황이 달라졌다. 에볼라 백신에 대한 관심이 치솟았고, 효과적인 백신을 만드는 것이 갑자기 사람들의 가장 큰 관심사가 되었다. 그로부터 2년 안에 임상 시험이 이루어졌고, 실제로 백신을 출시하는 데 몇 걸음 더 다가선 단계에 이르렀다.

에볼라 백신의 개발 과정이 보여 주듯이 백신을 개발할 때 사회적인 수용은 무척 중요하다. 해당 질병이 백신을 개발해야 할 만큼 많은 사람들에게 사망과 장애를 일으키는 두려운 존재인

백신 개발을 위한 동물 실험

사람을 대상으로 백신 임상 시험을 하기 전에 과학자들은 먼저 동물에게 실험을 한다. 원숭이나 유인원 같은 영장류는 인간과 비슷하기 때문에, 연구자들은 이런 동물을 백신 실험 대상으로 활용하는 경우가 많다. 마카크원숭이는 백신 실험에서 가장 흔하게 쓰이는 동물이다. 다른 종류의 원숭이들을 비롯해 생쥐, 쥐, 토끼, 양, 돼지, 소, 그리고 몹시 드물지만 말도 실험 대상이 된다. 과학 연구 전체를 통틀어 실험실 동물의 약 95%가 설치류이고, 0.3% 정도가 영장류다.

과학 연구를 위해 동물을 이용하는 행위는 논란거리가 된다. 많은 사람들은 이것이 비윤리적이고 잔인하다고 여긴다. 실험동물에 관한 법률은 해를 거듭할수록 엄격해지고 있으며, 유럽의 여러 국가들은 특정 동물(특히 영장류)을 실험 대상으로 삼는 행위를 금지했다.

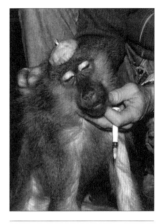

동물의 권리를 옹호하는 활동가들은 이 사진에서와 같이 사람에게 일어나는 간질을 연구하기 위해 원숭이와 개코원숭이의 두개골을 여는 실험을 비판한다. 이들 영장류는 백신을 시험하는 과정에도 이용된다.

미국에서는 국제 동물 권리 단체인 '동물을 윤리적으로 대우하는 사람들(PETA)'이 동물실험을 중지할 것을 요청했다. PETA의 압력을 받아 미국 국립보건원(NIH)은 2015년에 모든 연구용 침팬지(유인원의 한 종류)를 즉시 보호 구역으로 보낼 것이라고 공표했다. NIH는 더 이상 침팬지를 대상으로 한 연구를 지원하지 않기로 했다. 하지만 다른 영장류를 대상으로 한 연구는 계속되고 있는 실정이다.

임상 시험 단계

새로운 백신과 약을 시험하려면 여러 단계의 임상 시험을 거쳐야 한다. 먼저 제1상 임상 시험은 규모가 아주 작아서 참가자가 보통 20~100명이다. 이 시험에서는 백신이나 약의 안전성과 적정 투여량을 평가한다. 참가자는 건강한 사람(백신의 경우)이거나 약이 치료하고자 하는 병을 앓는 환자들이다. 이들은 참가비를 받는 경우가 많다. 참가자 집단을 둘로 나눠서 하나는 진짜 백신을 접종하고 다른 하나는 가짜 백신인 위약을 접종한다. 그러면 과학자들이 두 집단에서 나타난 효과를 비교할 수 있다. 제2상 임상 시험은 규모가 더 커서 최대 200명 정도의 자원자를 대상으로 하며, 약의 효과와 부작용에 집중한다. 제3상 임상 시험은 수백 명에서 수천 명의 자원자를 대상으로 하며, 약이나 백신이 얼마나 잘 작용하는지를 최종적으로 확인하고 평가하는 단계이다. 또 작은 규모의 임상 시험에서는 잘 나타나지 않았던 부작용이 있는지도 살핀다.

임상 시험의 참가자들은 모두 사전 동의서를 작성해야 한다. 이 임상 시험의 목적과 방법, 모든 위험성과 효능, 일어날 수 있는 부작용이 적힌 문서를 작성해 참가자들에게 충분히 알리고 동의를 받아야 한다. 참가자는 임상 시험 과정에서 언제든 궁금한 것을 질문할 수 있고, 더 이상 참가하고 싶지 않다면 그만두어도 된다.

미국 보건복지부(HHS)에서는 자국 어린이들을 연구에 참여시킬 때 몇 가지 요구 조건을 따르도록 한다. 어린이들을 임상 시험에 참여시키려면 부모나 보호자의 사전 동의를 받아야 한다.

제3상 임상 시험까지 통과해 승인받는 약품은 비율적으로 얼마 되지 않는다. FDA의 승인을 받고 나면 제약 회사는 추가적으로 제4상 임상 시험을 통해 약을 일반 사람들에게 시험한다. 이 시험의 목적은 해당 약품을 비슷한 다른 제품과 비교하고 장기적인 효과와 안전성을 평가하는 것이다.

가? 많은 사람이 이 질병을 종식시키는 데 관심이 있는가? 충분히 많은 사람이 이 백신을 접종할 것인가? 이 백신이 일으킬 부작용을 대중이 받아들일 수 있을까? 이 질문 가운데 하나라도 '아니요'라는 대답이 나오면 백신 개발은 차질을 빚게 된다. 과학자들이 개발하려 애쓰는 백신 수백 가지 가운데 극소수만이 이런 규제 요건을 통과한다.

탁월한 백신 연구자, 모리스 힐먼

에볼라 백신과는 달리 소아마비 백신은 대중의 엄청난 지지를 등에 업고 개발되었다. 1955년에 소아마비 백신이 개발된 직후 전 세계는 백신 개발의 황금기를 맞았다. 1960년대부터 1980년대에 이르기까지 과학자들은 홍역, 유행성 이하선염, 풍진, 뇌수막염, 폐렴, 황열병, B형 간염, 티푸스, b형 헤모필루스 인플루엔자에 대한 백신을 만들었다. 전 세계의 연구팀들이 백신 개발에 기여했다. 로타바이러스 백신의 공동 개발자인 감염병 연구자 폴 오핏Paul Offit은 그 가운데 한 사람 모리스 힐먼Maurice Hillman이야말로 '20세기의 으뜸가는 백신학자'라고 말한다.

힐먼은 40가지 이상의 백신을 개발했는데, A형 간염, B형 간염, 수두, 홍역, 유행성 이하선염, 풍진, 뇌수막염, 폐렴, b형 헤모필루스 인플루엔자 백신 등이다. 그뿐만 아니라 힐먼은 A형 간염

1957년 미국 메릴랜드주 실버스프링에 위치한 월터 리드 육군 연구소에서 모리스 힐먼이 연구실 동료들과 이야기를 나누는 모습. 작업대 한가운데에 달걀을 채운 판이 보인다. 백신학자들은 백신을 제조하는 데 필요한 바이러스와 세균을 키우려고 달걀흰자를 이용한다.

바이러스를 비롯해 여러 바이러스를 발견하기도 했다. 미국 국립 알레르기·전염병연구소의 소장인 앤서니 파우치Anthony Fauci는 백신학이라는 분야 전체에서 모리스 힐먼보다 더 영향력 있는 인물은 없을 정도라고 말한다.

힐먼은 1919년 미국 몬태나주에서 태어나 시카고대학교에서 미생물학과 화학을 공부했다. 25살에 한 제약 회사에서 일하던 힐먼은 연구 인생 최초로 일본 뇌염에 대항하는 백신을 만들었다. 그 뒤 유행성 이하선염 백신도 개발했는데, 이 과정에는 자신의 두 딸이 관련되어 있다. 1963년 3월 어느 날 힐먼의 5살배기 딸이 인후통, 고열과 함께 침샘이 부어오르는 증상을 보였다. 힐먼은 이것이 유행성 이하선염 증상이라는 것을 알아챘다. 심하면 환자의 귀를 멀게 할 수도 있는 병이었다. 힐먼은 딸의 입 안쪽에서 세포를 긁어내 분리한 유행성 이하선염 바이러스를 표본으로 만들어 실험실에서 연구할 수 있도록 더 많이 배양시켰다. 연구를 거듭한 힐먼은 마침내 1967년 말에 유행성 이하선염 백신을 개발하기에 이르렀다. 임상 시험 과정에서 힐먼의 또 다른 딸이 이 백신을 맞은 최초의 어린이가 되었다.

그 뒤로 20년 동안 힐먼은 역사상 어떤 과학자보다도 백신을 많이 개발했다. 미국 질병통제예방센터에서 어린이에게 권장하는 14가지의 백신 가운데 힐먼이 개발한 백신은 8가지나 된다. 힐먼이 가장 마지막에 개발한 B형 간염 백신은 1981년에 승인을 받았다. 이 백신은 인간의 혈액을 활용해서 만든 최초의 백신이자 암(간암)을 예방하는 최초의 백신이었다.

잽싸게 도망치는 독감 바이러스

모든 유기체는 한 세대에서 다음 세대로 진화한다. 돌연변이, 즉 유전자의 갑작스러운 변화는 각각의 새로운 세대에서 무작위로 일어난다. 만약 특정 돌연변이가 유기체의 생존 확률을

높인다면 그 유기체는 번성하고 번식할 것이다. 그리고 그 유기체의 자손들 역시 유전자 돌연변이를 가진다. 이런 식으로 일어난 변화는 점차 어떤 종의 유전자 구성에서 영구적인 일부분이 된다. 예를 들어 쥐와 빈대의 일부 종은 사람들이 자기들을 죽이려고 사용하는 독이나 살충제로부터 살아남기 위해 진화했다. 또 개는 진화를 통해 자기 조상인 늑대와는 달리 인간과 의사소통하기 위해 짖는 능력을 발달시켰다.

미생물 또한 진화한다. 스스로 번식하는 과정에서 유전 물질의 무작위적인 돌연변이가 자손에게 전달된다. 파충류나 포유류 같은 복잡한 유기체라면 이 과정이 수천 년에서 수백만 년에 걸쳐 일어나지만, 단세포 미생물은 몇 달, 심지어 몇 분이면 이 과정이 끝난다. 홍역 바이러스 같은 일부 바이러스는 안정적이어서 시간이 지나도 돌연변이가 적게 일어난다. 반면에 독감 바이러스는 무척 빠르게 돌연변이를 일으키기 때문에 백신학자들이 그 속도를 따라잡기 힘들 정도다. 이처럼 독감 바이러스가 너무 빨리 변화하기 때문에 백신학자들은 해마다 새로운 독감 백신을 개발해야 한다.

독감 바이러스가 빠르게 돌연변이를 일으키는 이유는 두 가지다. 첫째, 유전 물질이 DNA가 아니라 RNA(리보핵산)로 구성되어 있기 때문이다. RNA는 DNA와 마찬가지로 유기체가 어떻게 성장하고 기능할지에 대한 지시 사항을 담고 있는 분자의 집

독감 바이러스는 조류에게서 다른 동물을 거쳐 사람에게 옮겨올 수 있다. 동물과 인간 모두에게 독감이 퍼지지 않도록 하려고 보건 관계자들은 동물에게 백신을 맞히곤 한다. 사진은 중국 보건 관계자들이 양계장에서 닭에게 백신을 접종하는 모습이다.

합이다. 차이가 있다면 RNA는 유전자가 한 가닥인 반면, DNA는 두 가닥이라는 점이다. DNA가 복제될 때, 세포는 한 가닥이 다른 가닥에 대응되도록 유전자가 정확하게 복제되었는지 두 번 점검한다. 하지만 RNA는 한 가닥뿐이라 두 번 점검할 수가 없어 돌연변이를 놓칠 수 있다. 게다가 독감 바이러스는 무척 빠르게 복제하기 때문에 유전적인 실수를 자주 일으킨다.

둘째, 독감 바이러스는 두 가지 서로 다른 유형의 돌연변이를 거친다. 하나는 항원 소변이로 바이러스의 유전 물질이 살짝 바뀌며 그 결과 새로운 균주가 생긴다. 이 새로운 균주는 예전 균주와는 다르기 때문에 연구자들은 새로 백신을 개발해야 한다.

반면에 항원 대변이는 더욱 극적이고 위험한 변화다. 독감 바이러스는 A형, B형, C형이라는 세 가지 유형으로 나뉜다. B형과 C형은 인간에게만 감염된다. A형은 인간을 비롯해 돼지, 조류, 개, 말에 감염되는 인수 공통 감염증이다. A형은 하나의 생물 종에서 다른 종으로 건너갈 수 있다. 이런 특성 때문에 A형 독감은 대규모 유전자 돌연변이를 더 잘 일으킨다. A형 독감 바이러스가 비인간 생물 종에서 인간으로 건너오면 인간의 세포에서 급격하게 변이를 일으킬 수 있다. 그 결과 완전히 새로운 바이러스 아형이 생겨난다.

또 다른 시나리오를 생각해 보자. 독감 바이러스 균주 두 가지가 동시에 한 유기체에 감염되면 그 유전 물질이 세포 안에서 결합해 새로운 아형의 독감 바이러스를 만들어 낼 가능성이 있다. 대부분의 사람들은 이런 새로운 아형에 면역력을 가지고 있지 않기 때문에 이 바이러스에 감염된 사람은 거의 병에 걸린다. 그 결과 어떤 지역에서 독감이 유행하거나 전 세계적으로 대유행할 수 있다.

역사상 가장 유명한 유행성 독감은 1918년에서 1919년 사이에 세계 여러 지역에 걸쳐 널리 퍼진 스페인 독감이다. 스페인 독감은 자그마치 전 세계 인구의 5분의 1을 감염시켰다. 이 바이러스가 대유행하게 된 것은 항원 대변이 때문이었다. 인류는 이 바이러스 균주는 물론이고 어느 정도 비슷한 균주도 일찍이 접한 적이 없었다. 1990년대 후반이 되어서야 과학자들은 이 독감 균주의 RNA를 확인하고, 이것이 조류 독감 균주에서 왔을 가능성이 높다고 결론 내렸다. 스페인 독감은 전 세계 인구 중 약 5000만 명을 죽음으로 몰아넣었다.

모리스 힐먼은 항원 소변이와 항원 대변이가 어떤 방식으로 작용하는지 알아낸 과학자였다. 이 발견으로 힐먼은 1957년에 유행한 독감 바이러스의 균주가 항원 대변이에서 비롯했기 때문에 새롭고 위험하다는 사실을 깨달았다. 그래서 힐먼은 제약 회사들이 4개월 안에 대량 생산할 수 있는 독감 백신을 만들었다. 비록 1957~1958년 독감 유행 기간에 미국에서만 7만 명이 사망했지만, 전문가들은 힐먼의 백신이 없었다면 100만 명 정도가 목숨을 잃었을 것이라고 추정한다.

2009년 말에 H1N1 독감 균주가 처음 등장했을 때도 전문가들은 이것이 새로운 아형의 바이러스라고 우려했다. 더 걱정스러운 점은 이 H1N1 아형이 1918~1919년에 대유행했던 스페인 독감과 매우 비슷하다는 사실이다. 제약 회사들이 그해에 서둘러 새 백신을 만들어 내놓기는 했지만, 그래도 이 독감 균주는 스페인 독감이 유행할 당시와 마찬가지로 청년층과 중년층에게 큰 피해를 주었다. 노년층은 상대적으로 피해가 적었다. 왜 그랬을까?

유행병학자들은 그 이유가 20세기 초중반에 태어난 노년층은 1918년 독감 바이러스의 변이된 형태에 노출된 적이 있기 때문이라고 생각한다. 그 결과 노년층은 그 바이러스와 비슷한 2009년의 균주에 얼마간의 면역이 있었을 것이다.

제대로 활용하지 못한 백신

라임병 백신에 대한 이야기는 시기가 좋지 않고 대중이 잘못된 정보에 둘러싸였을 때 아무리 안전하고 효과적인 백신이 나오더라도 무산될 수 있다는 사실을 보여 준다. 라임병은 사슴진드기가 옮기는 '보렐리아 부르그도르페리*Borrelia burgdorferi*'라는 세균이 일으키는 질병이다. 사람이 사슴진드기에 물리면 핏속에 이 세균이 들어갈 수 있다. 라임병은 보통 황소 눈 모양의 발진으로 시작되며 열과 두통, 피로감 등의 증상이 따른다. 매년 미국에서 약 30만 명, 유럽에서 6만 5000~8만 5000명이 라임병에 걸린다.

라임병은 항생제로도 간단하게 고칠 수 있다. 하지만 의사들이 라임병을 제대로 진단하지 못하는 경우가 많은데, 그 이유는 다른 병과 증상이 비슷할 뿐만 아니라 눈에 띄는 발진을 일으키지 않는 라임병 환자도 많기 때문이다. 더욱이 많은 사람들이 자기가 진드기에 물렸다는 사실을 알아채거나 기억하지 못한다. 라임병에 걸렸는데도 제대로 치료를 받지 못하면 안면 마비, 근육통, 관절염을 비롯해 언어 장애, 기억력 장애가 생길 수 있다. 심하면 뇌수막염이나 심장병, 신경 장애를 일으키고 때로는 목숨을 잃기도 한다.

1998년에 FDA는 라임병에 76% 효과를 보이는 리메릭스 백신을 승인했다. 이 백신은 여느 백신과는 다르게 작용했다. 백신을 접종받은 사람의 몸속에 항체를 형성시키는 대신, 그 사람이 세균에 감염된 사슴진드기에 물리면 진드기가 사람의 피를 빨아먹는 동안 백신이 진드기의 위장 속으로 들어간다. 다시 말하면 이 백신은 세균 보렐리아 부르그도르페리가 사람 핏속에 들어가기 전 진드기의 몸속에 있을 때 죽인다.

하지만 몇 가지 문제가 백신의 몰락을 초래했다. 이 백신이 충분히 효과를 나타내려면 첫 번째 접종을 받고 나서 한 달 뒤에 두 번째 접종을, 열두 달 뒤에 세 번째 접종을 받는 식으로 주사를 3회 맞아야 했다. 이렇게 1년에 걸쳐 여러 번 주사를 맞아야 하기 때문에 사람들이 이 지침에 따라 완전히 접종을 마치고 면역을 얻기가 쉽지 않았다. 또 2~15세 어린이가 라임병 감염에 가장 취약한 나이인데, FDA는 당시 제약 회사가 어린이에 대해서는 자료를 제출할 만큼 일찍부터 임상 시험을 하지 않았다는 이유로 17세 이상에 대해서만 백신 접종을 허가했다. 이후에 실시된 임상 시험에서는 이 백신이 어린이에게도 안전하고 효과가 있다는 사실이 밝혀졌다. 하지만 백신을 어린이에게 접종해도 좋다는 승인을 받으려면 FDA에 새로 신청을 해야 했고, 이런 신청을 할 때마다 엄청난 비용이 들기 때문에 제약 회사는 굳이 그렇게 하지 않았다.

게다가 라임병 사례는 매년 2만~3만 건 정도로 보고되었지만 실제로 추정되기로는 그보다 3~5배는 많았다. 이렇듯 백신을 맞을 수 있는 연령이 제한된 데다 환자 수가 적게 보고된 탓에 미국 질병통제예방센터는 이 백신을 그렇게 강력하게 추천하지 않았다. 그 결과 미국인들은 리메릭스 백신을 그다지 신뢰하지 않게 되었다.

그뿐만 아니라 몇몇 비판가들은 이 백신이 관절염과 면역계 손상을 비롯해 심각한 부작용을 일으킨다고 주장했다. 그 주장을 뒷받침하는 증거는 없었고, 이후의 연구 결과에 따르면 그런 위험성은 없다고 밝혀졌는데도 말이다. 1999년 후반에는 한 단체가 그동안 100명 이상의 접종자가 이 백신 때문에 피해를 봤다고 주장하면서 백신을 제조한 제약 회사를 고소했다. 이 백신은 나쁜 평판에 질병통제예방센터의 추천도 받지 못해 판매액이 뚝 떨어져, 결국 2002년에 제약 회사에서는 이 백신의 생산을 완전히 멈췄다.

그로부터 15년 이상 지났지만 백신학자들은 라임병에 대한 또 다른 백신을 개발하지 못하고 있다. 백신학자 스탠리 플로트킨은 라임병 백신이 없는 지금 상황에 대해 '효과적인 백신을 활용하지 못해서 일어난 최악의 실패 사례'라고 말한다.

백일해 백신을 둘러싼 딜레마

20세기 초반, 백일해는 어린이에게 죽음과 장애를 가져오는 주된 질병이었다. 1920년대에 미국에서는 백일해로 매년 6000명 정도의 어린이가 목숨을 잃었는데, 이것은 디프테리아나 성홍열, 홍역으로 사망한 사람보다 많은 숫자였다. 1934년에는 백일해로 죽은 사람이 26만 명 이상으로 정점을 찍었다.

그러다가 미시건주 보건부 연구소의 펄 켄드릭Pearl Kendrick과 그레이스 엘더링Grace Eldering이 1930년대 후반에 백일해 백신을 개발하면서 환자 수는 99% 줄었다. 1948년에는 백신학자들이 디프테리아와 파상풍, 백일해 백신을 'DTP'라는 주사 하나로 합쳤다.

DTP 백신에 부작용이 없는 것은 아니다. 때때로 고열을 동반한 발작 증상 등이 나타날 수도 있다. 발작 자체가 사람 몸에 장기적인 손상을 입히지는 않지만, 이런 증상이 나타나면 사람들은 겁을 먹는다. 그래서 1980년대에는 DTP의 안전성에 대한 염려로 부작용이 좀 더 적은 새로운 백신이 개발되었다.

DTP 백신에는 백일해 세균의 세포가 전체로 들어가는 데 비해 'DTaP', 'Tdap'이라고 하는 새로운 백신은 백일해 세균에서 추출한 2~3가지의 단백질만 포함되었다. 이런 유형의 백신은 세

백일해 백신을 개발한 여성들

과학자들은 1906년에 이미 백일해균(*Bordetella pertussis*)이 백일해를 일으킨다는 사실을 발견했지만 백신을 개발하려는 노력은 1920년대 내내 실패로 돌아갔다. 그러던 중 1932년, 미국 미시건주의 그랜드래피즈에서 백일해가 크게 번졌다. 그해 미시건주 보건부의 연구소장은 세균학자인 펄 켄드릭과 그레이스 엘더링을 채용했다. 소장이 여성을 채용한 것은 보건부에 예산이 모자라 남성보다 봉급을 덜 주어도 되기 때문이었다. 켄드릭과 엘더링은 백일해에 걸린 아이들의 몸에서 신선한 백일해균의 표본을 채취했다. 두 사람은 실험실에서 세균을 빠르게 증식시킬 방법을 알아냈으며, 백일해가 4~5주 동안 전염성이 있다는 사실을 발견했다. 켄드릭은 연구소장에게 백일해 백신을 개발할 수 있게 허락해 달라고 했다. 하지만 연구소장은 약간 무시하는 투로 "백일해라는 병이 흥미롭다면 당신이 하고 싶은 대로 연구해 봐요. 단, 근무 시간 외에 해요."라고 말했다.

켄드릭과 엘더링은 근무가 끝난 뒤에 연구소 시설을 활용했고, 연구비로 쓰기 위해 기부금을 모았다. 두 사람은 먼저 유기 수은 화합물인 티메로살로 세균을 비활성화한 다음, 실험 단계의 백신을 자기 자신과 가족들에게 접종했다. 그리고 1934~1935년에 두 사람은 백일해 백신에 대한 대규모 대조군 연구를 실시했다. 712명의 아이들에게 백신을 접종하고 880명의 아이들은 백신을 접종하지 않은 채 서로 비교하는 연구였다. 그런데 백신을 맞은 아이들 가운데 4명이 약한 백일해 증세를 보였고, 백신을 맞지 않은 아이들 가운데 45명이 심한 백일해 증세를 나타냈다. 이 결과는 백신이 89%의 효과가 있다는 사실을 보여 주었다.

1940년대까지 미국 전역에서 아이들이 켄드릭과 엘더링이 개발한 백신을 맞았다. 그 결과 1934년에서 1948년 사이에 백일해 환자 수는 76% 감소했다. 그리고 1960년대 들어서는 환자 수가 95% 감소했다.

포 전체가 들어 있지 않다는 의미에서 '무세포성 백신'이라고 불린다. 한편 새로운 백신에서 파상풍과 디프테리아를 예방하는 성분은 바뀌지 않았다.

펄 켄드릭(위)과 그레이스 엘더링(아래).

그러나 공중 보건 기관에 보고된 백일해 환자 수가 다시 늘기 시작했다. 1980년대부터 아주 서서히 늘었고, 1990년대에는 부쩍 늘어났다. 소아과 의사와 가정의학과 의사들이 백일해를 좀 더 잘 진단하게 된 게 한 가지 이유이기도 했다. 의사들은 더 많은 어린이와 성인에게 검사를 실시했고, 그래서 전에는 진단하지 못하고 넘어갔던 사례를 많이 보고했다. 영유아 사이에서도 발병률이 증가하고 있었다.

유행병학자들은 DTaP과 Tdap 백신을 통해 생긴 면역이 예상보다 빨리 효과가 떨어지지 않나 의심했다. 2012년에 발표된 한 연구에서는 이 의심이 사실로 밝혀졌다. 이후 DTaP와 Tdap에 대한 후속 연구는 무세포성 백신이 병원체 세포 전체가 포함된 백신에 비해 효과적이지 않다는 사실을 더욱 명확히 입증했다. 몇몇 연구에 따르면 이 백신의 효과는 2~3년 만에 거의 절반으로 뚝 떨어졌다.

2013년에 FDA에서 연구하는 과학자들은 백일해 환자가 증가하는 데 한몫했을 가능성이 있는 또 다른 요인을 발견했다. 실험 결과는 무세포성 백일해 백신을 맞은 개코원숭이들이 병에 걸려 다른 원숭이들에게 계속 병을 퍼뜨릴 수 있다는 것을 보여 주었다. 심지어 증상을 보이지 않는 상태에서도 그랬다. 이런 현상을 '무증상 보균'이라고 한다. 개코원숭이의 면역계는 사람과 비슷하기 때문에 인간에게서도 이런 무증상 보균 현상이 나타날 수 있다. 이 연구는 무세포성 백일해 백신이 세균의 전파를 막지 못하기 때문에 집단 면역을 유지하는 데 큰 도움이 되지 않을 것이라는 점을 시사했다.

이와 마찬가지로 누에고치 전략(가족 구성원들에게 백신을 접종해 백신을 맞지 않은 신생아를 보호하는 것) 또한 그렇게 효과적이지 않을 가능성이 있었다. 그래서 미국 질병통제예방센터는 어머니의 몸에서 만들어진 항체를 태아가 받을 수 있도록 모든 임신부가 임신 기간의 마지막 3개월 안에 Tdap 백신을 맞을 것을 권장했다. 이후의 연구에 따르면 그렇게 어머니 몸에 생긴 항체는 신생아의 백일해를 예방하는 데 최대 90%까지 효과가 있었다.

마지막으로 같은 시기에 나온 새로운 증거는 백일해 균주의 일부가 백신에 대한 반응으로 살짝 변이를 일으켰음을 시사했다. 그러면 백신은 돌연변이 균주에 대해 효능이 조금 떨어질 수 있다. 백일해 항원과 면역계의 반응 관계가 완전히 밝혀지지 않았기 때문에 과학자들이 이에 대해 확신하지는 못한다. 새로운 백일해 백신을 개발하고자 여러 연구팀들이 애쓰고 있지만 개발 과정은 느리고 비용이 많이 든다. 백신학자들이 더욱 효과적인 새백신을 언제 내놓을지는 아무도 모른다.

로타실드 백신 이야기

최초의 로타바이러스 백신 이야기는 미국의 백신 안전 체계가 어느 정도 효과가 있었는지 보여 준다. 전 세계적으로 매년 5세 이하 어린이 50만 명 이상이 로타바이러스에 감염되어 목숨을 잃는다. 날마다 약 1400명이 사망하는 셈이다. 로타바이러스에 감염되면 처음에는 콧물, 기침, 열 같은 가벼운 감기 증세를 보이고, 이후 심한 구토와 설사 증상이 나타난다.

백신이 개발되기 전에는 미국에서 매년 270만 명의 아이들이 로타바이러스에 감염되어 5만 5000~7만 명이 병원에 입원해야 했다. 병에 걸린 미국 아이들은 대부분 훌륭한 보건 의료 체계 덕분에 목숨을 건지기는 하지만, 이 병은 전 세계적으로 해마다 50만 명의 어린이들을 죽음에 이르게 한다. 이런 상황에서 1998년 로타실드 백신이 승인되었다는 반가운 소식이 전해졌다. 적어도 처음에는 그랬다. 백신이 승인되자마자 얼마 되지 않아 미국에서 15명의 유아가 로타실드 백신을 맞은 뒤 장의 일부가 인접해 있는 다른 장으로 말려 들어가는 '장중첩증'이라는 증상을 보였다. 그 가운데 9명이 수술을 받아야 했다.

　　미국 질병통제예방센터는 일시적으로 이 백신에 대한 권장을 보류하고 긴급 연구를 수행한 결과, 로타실드 백신을 접종받은 1만 건당 1건꼴로 장중첩증이 발생한다는 결론을 내렸다. 그래서 질병통제예방센터는 승인 1년 만에 로타실드 백신에 대한 권장안을 영구적으로 삭제했다. 제조업체에서는 자발적으로 백신을 회수했다.

　　그렇다면 장중첩증을 일으키는 백신이 애초에 어떻게 승인을 받을 수 있었을까? 임상 시험 과정에서 1만 54명의 유아가 로타실드 백신을 접종받았고, 그 가운데 5명이 장중첩증을 보였다. 하지만 백신을 맞지 않은 4633명의 유아를 대상으로 한 대조군(해당 처치를 받지 않은 시험 집단으로, 처치를 받은 집단과 비교됨)에서 1명이 장중첩증을 보였다. 부작용이 나타나는 비율(0.05와 0.022)이 그리 큰 차이가 나지 않는다고 본 제약 회사에서는 이 백신이 장중첩증을 일으킨다고 판단하지 않았다. 더구나 보통의 유아 집단에서도 2000~3000명 가운데 1명꼴로 장중첩증이 생긴다. 이런 이유로 임상 시험에서 나타났던 장중첩증은 보통의 유아 집단에서 예상되는 정상적인 비율이라고 여겨졌다.

　　하지만 이 임상 시험은 아주 드문 부작용을 알아낼 만큼 많은 아이들을 대상으로 하지 않았다. 임상 시험에서 백신을 맞은 아이들이 고작 1만 명 정도였기 때문에 장중첩증 발생 사례는 우연한 사건처럼 보였다. 그러는 동안 '로타릭스'와 '로타텍'이라는 새로운 로타바이러스 백신 두 가지가 개발되었다. 이들 백신에 대한 임상 시험은 각각 6만 명가량의 아이들을 대상으로 했다. 이 정도는 시험 대상인 아이들에게서 아주 드물게 나타나는 부작용을 확인하기에 충분한 숫자였다.

FDA는 접종받은 아이들의 약 98%를 로타바이러스로부터 보호해 주는 로타릭스와 로타텍 백신을 승인했다. 연구에 따르면

수동 면역이란?

병을 직접 앓거나 백신을 맞지 않고도 그 병에 대한 항체를 갖게 되는 것을 '수동 면역'이라고 한다. 수동 면역을 얻는 데는 두 가지 방법이 있다. 하나는 '면역 글로불린'이라 불리는 항체 주사를 맞는 것이다. 다른 사람의 몸에서 채취하거나 실험실에서 제조한 이 주사를 맞으면 응급 상황에서 일시적으로 수동 면역을 가질 수 있다. 다른 하나는 임신 기간에 이전의 감염이나 백신을 통해 어머니의 몸에서 만들어진 항체가 태아에게 옮겨지는 것이다. 그러면 태아는 출생 후 여러 달 동안 이 병에 대한 수동 면역을 갖게 된다.

임신한 여성에게 백일해 백신을 접종하면 태아가 생후 1년가량 병으로부터 보호받을 수 있다. 또한 수동 면역은 백신 접종 일정에도 영향을 준다. 예컨대 어머니의 홍역 항체는 아기의 몸에서 약 1년 동안 유지되기 때문에 아기는 태어나서 1년이 지날 때까지 홍역 백신을 맞지 않는다.

이 두 백신은 접종받은 아이 10만 명 가운데 약 1명꼴로 장중첩증을 일으킬 정도로 위험성도 아주 낮다. 이것은 백신을 맞지 않은 아이들 65명 중 1명꼴로 로타바이러스에 감염되어 병원 신세를 지는 것에 비하면 그렇게 큰 위험이 아니다. 게다가 드물기는 하지만 로타바이러스 자체가 장중첩증을 일으키기도 한다. 그래서 새로 나온 백신의 위험성은 로타실드 백신에 비해서는 사람들에게 좀 더 잘 받아들여진다.

오해받아 효과를 보지 못하는 백신

사람 유두종 바이러스HPV 관련 질환은 전 세계 어디서나 성관계로 전파되는 질병 가운데 가장 흔하다. 남성 가운데 90% 이상, 여성 가운데 80% 이상이 살면서 한 번쯤은 사람 유두종 바이러스에 감염되지만 대부분 감염 사실을 모른 채 지나간다. 몇몇 사람 유두종 바이러스 균주는 생식기에 사마귀가 나게 하지만, 대부분의 균주는 어떤 증상을 보이거나 해를 끼치지 않는다. 우리 몸의 면역계는 스스로 이 바이러스 감염을 물리친다. 하지만 150종류도 넘는 사람 유두종 바이러스 균주 가운데 13종류는 여러 가지 암을 일으킬 수 있다.

자궁경부암은 거의 이 바이러스 때문에 발생하며, 주기적으로 검사를 받지 못하는 가난한 나라의 여성들에게는 주된 사망

원인이 된다. 심지어 대부분의 여성들이 주기적으로 검사를 받는 미국에서도 매년 4000명 이상이 자궁경부암으로 목숨을 잃는다. 또한 항문암의 95%, 질암의 65%, 외음부암의 50%, 음경암의 35%, 인후암의 70%가 이 바이러스 때문에 발생한다.

연구자들이 효과적인 사람 유두종 바이러스 백신을 개발하려 노력했지만 실패를 거듭하는 상황에서, 미국 국립보건원의 과학자들은 백신의 단백질 배열을 재조직하면 된다는 사실을 발견했다. 이 백신의 개발자 가운데 한 사람인 존 실러John Schiller에 따르면 1992년에 이 돌파구를 찾은 이후로 사람 유두종 바이러스 백신은 마치 '강력계 경찰'처럼 효과적으로 작용했다.

그러나 실러의 연구팀은 이 백신을 제조해 줄 제약 회사를 찾지 못했다. 제약 회사 관계자들은 하나같이 성관계로 전파되는 질병에 대항하는 여러 백신이 예전에 실패했다는 사실을 언급했다. 그리고 실러의 백신 역시 실패할 거라고 우려했다.

머크사의 모리스 힐먼만은 예외였다. 다른 회사들은 실러가 개발한 백신에서 문제점만 찾았지만 힐먼은 가능성을 보았다. 결국 머크사는 2006년에 최초의 사람 유두종 바이러스 백신인 가다실을 생산했다. 그리고 2015년에는 이 바이러스의 더 많은 균주로부터 몸을 보호하기 위한 또 다른 백신을 만들었다. 이 두 가지 백신으로 사람 유두종 바이러스가 일으키는 모든 암의 90%를 예방할 수 있다.

이렇게 보면 사람 유두종 바이러스 백신이 당장 엄청난 성공을 거두어야 마땅할 것처럼 보인다. 하지만 실제로는 그렇지 않았다. 미국 질병통제예방센터는 11~13세의 여자아이들이 이 백신을 맞아야 한다고 권장했다. 질병통제예방센터가 이 연령대를 제시한 것은 사람 유두종 바이러스 백신은 이 바이러스에 한 번도 노출된 적이 없는 사람에게 가장 효과가 크기 때문이다. 11~13세의 여자아이라면 성적으로 활발할 가능성이 낮기 때문에 좀 더 나이가 많은 여자아이들에 비해 이 바이러스에 노출될 확률도 낮을 것이다.

더욱이 이 백신은 15세 이상보다 15세 미만의 여자아이 몸 속에서 더욱 강한 항체 반응을 일으킨다. 이런 이유로 15세 미만의 청소년은 2회만 접종해도 되는 반면, 15세 이상은 3회를 접종해야 한다. 미국 질병통제예방센터는 처음에 여자아이들에게만 이 백신 접종을 권장했지만, 2011년부터 남자아이들도 접종 대상에 포함시켰다.

하지만 일부 부모들은 성관계로 전파되는 질병에 대항하는 백신을 접종하면 자녀들이 성관계가 더 안전해졌다고 생각해 성적으로 활발해질지도 모른다고 우려했다. 연구 결과에 따르면 사실 그렇지 않았지만 이들은 여전히 질병통제예방센터가 10대에게 성관계를 부추긴다고 여겼다. 질병통제예방센터 관계자들에게는 이 백신이 사람의 목숨을 구하는 수단일 뿐인데도 말이다.

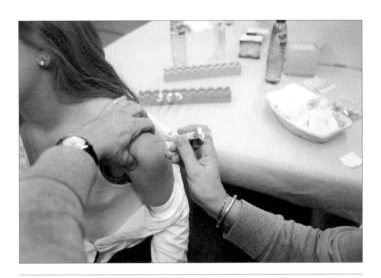

10대 여자아이에게 사람 유두종 바이러스 백신을 접종하는 모습. 일부 부모들은 10대에게 성관계를 부추긴다는 이유로 이 백신을 거부한다. 하지만 많은 연구에 따르면 그런 주장은 사실이 아니다. 반대로 이 백신은 사람 유두종 바이러스가 일으키는 암으로부터 사람들을 보호하고 목숨을 구한다.

이렇듯 처음에 사람들이 10대들이 가질 성관계에 대한 우려로 이 백신을 탐탁지 않게 생각했다면, 다음에는 부작용에 대한 불안이 그 자리를 차지했다. 몇몇 사람들은 이 백신이 핏속에 혈전을 생성하는 것을 비롯해 다른 건강상의 문제를 일으킨다고 두려워했다. 연구자들이 조사한 결과 그런 주장에 대한 증거는 찾을 수 없었다.

후속 연구에 따르면 사람 유두종 바이러스 백신은 질병통제예방센터가 권장하는 여러 백신 가운데서도 가장 안전한 축에 든다. 이제 이 백신의 접종률은 점차 증가하고 있지만, 아무래도 처음부터 의구심을 가진 만큼 사람들이 통상적으로 꼭 접종받는 다른 백신에 비하면 아직도 접종률이 훨씬 낮다. 이 백신은 전 세계적으로 발생하는 모든 암의 5%를 예방할 수 있지만, 아직도 수백만 명이 그 예방 효과를 보지 못하고 있다.

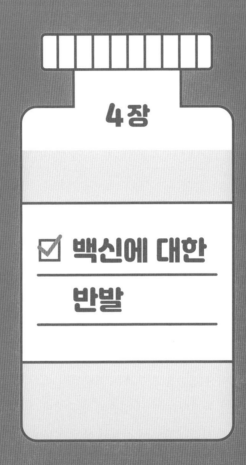

4장

☑ 백신에 대한

반발

에드워드 제너가 백신 접종(우두법)을 전 세계에 소개하기 전에도 많은 사람들은 백신에 의구심을 가졌다. 사람들은 '백신'이란 개념을 터무니없게 여겼다. 어떻게 질병을 예방하겠다고 사람을 바로 그 병에 일부러 노출시킬 수 있는가? 물론 제너가 살던 시대에는 아무도 인체의 면역계가 어떻게 작동하는지 알지 못했기 때문에 백신 접종을 거부하는 사람들이 있다 해도 이해할 만하다. 게다가 예전에는 백신 접종과 인두법이 항상 안전하지만은 않았다. 한 사람의 팔에서 감염된 생체 성분을 뽑아 직접 신체 접촉을 통해서든, 소독하지 않은 도구를 통해서든 다른 사람의 몸에 넣는 과정에서 매독이나 간염 같은 병이 옮을 수 있었다.

또한 백신 접종이나 인두 접종을 받고 제대로 천연두에 걸린 사람들도 있었다. 병에 걸리지 않더라도, 인두 접종을 받은 지 얼마 되지 않은 사람들은 가까이 접촉한 사람들에게 병을 옮길 수 있었다. 어떤 사람들은 정부와 과학자를 믿지 못했다.

이런저런 이유로 19세기가 시작될 무렵 최초의 백신이 등장하자마자 백신 반대 운동도 강력해졌다. 백신을 반대하는 사람들은 제너의 천연두 백신이 사람을 소로 만든다든가, 몸의 일부에 소의 신체 부위가 자란다든가 하는 심각한 부작용을 일으킨다고 주장했다. 황당하고 믿기지 않는 그런 주장을 뒷받침하는 과학적인 증거는 전혀 없었지만 말이다. 한편 병든 소에서 뽑아낸 성분을 사람에게 일부러 감염시키는 것이 불결하고 성스럽지 못하다고 여기는 사람들도 있었다.

영국에서는 19세기 중반에 세계 최초로 백신 접종을 의무화하는 법안이 만들어졌다. 이 법에 따르면 가난한 사람들은 천연두 백신을 무료로 맞을 수 있었고, 14세 이하의 모든 아이들은 백신을 꼭 접종해야 했다. 또한 이 법은 백신 접종에 비해 위험하다는 이유로 인두법을 금지했다. 자기 자녀에게 백신을 접종하지 않겠다고 거부하는 부모는 벌금을 내거나 감옥에 갈 수도 있었다. 하지만 백신 반대론자들은 단체를 만들고 백신에 반대하는 잡지를 발간하는 등 거세게 항의했다.

백신 반대론자들은 백신이 효과가 없을 뿐 아니라 사람의

백신 접종에 대한 반대는 수백 년 동안 이어졌다. 1802년에 그려진 영국의 이 삽화를 보면 백신을 접종 받은 사람들은 소의 머리를 달고 있거나 몸에 소의 신체 부위가 자라나 있다. 이 삽화는 당시 백신의 안전성에 대한 대중의 의심을 반영한다.

목숨을 빼앗을 수도 있다고 주장했다. 물론 둘 다 맞는 말이기는 했지만 그런 경우는 무척 드물었다. 백신 반대론자들은 천연두 환자의 80%가 사실은 예전에 백신을 맞은 사람들이며 백신 접종으로 매년 영국에서 2만 5000명의 어린이가 사망한다고 주장했다. 1885년 영국의 도시 레스터에서 10만 명 넘는 시민들이 이 법에 반대하는 시위를 벌이자 영국 정부는 백신 접종에 대한 의무조항을 완화했다. 1898년 바뀐 '예방 접종법'에 따르면 부모는 자녀의 백신 접종을 거부할 권리가 있으며, 백신을 맞히지 않아도 처벌받지 않게 되었다.

백신 거부 운동은 곧 미국에까지 퍼졌다. 미국에서는 뉴잉글랜드주와 뉴욕주에서 백신 거부자들의 연합이 결성되었다. 미국의 백신 반대론자들은 백신 접종을 의무화하는 각 주의 법과 싸워 이겨 나갔다. 매사추세츠주 보스턴에서 목사인 헤닝 제이컵슨 Henning Jacobson은 천연두가 유행하는 동안 주민들이 의무적으로 백신을 맞아야 한다는 법에 반발했다. 제이컵슨은 이런 의무적인 백신 접종이 "자기 자신의 몸과 건강을 최선의 상태로 돌보려는 모든 자유로운 사람들의 타고난 권리에 해를 끼치며, 사람들에 대한 폭력일 뿐"이라고 주장했다. 이 사건은 미국 대법원까지 올라갔고, 1905년 제이컵슨에게 불리한 결과가 나왔다. 대법원은 위험한 전염병으로부터 스스로를 지키려는 대중의 권리보다 개인의 권리가 우선할 수 없기 때문에 의무적인 백신 접종은 합법이라고 판결 내렸다.

이 시기 사람들이 가졌던 백신 접종에 대한 두려움에 약간의 근거가 있었던 것은 사실이다. 예를 들어 1901년 미국 뉴저지주 캠던에서는 천연두 백신이 파상풍균에 오염되는 바람에 백신을 맞은 9명의 어린이가 목숨을 잃었다. 그리고 그해에 미주리주 세인트루이스에서는 파상풍균에 오염된 디프테리아 항독소 혈청 주사를 맞은 어린이 13명이 사망했다. 항독소 혈청 주사는 세균 독소에 대한 감염증을 치료하기 위해 다른 유기체의 면역계에서 만들어 낸 항체를 주입하는 것이다. 당시 이 항독소 혈청을 만드는 데 사용되었던 말 한 마리가 파상풍에 걸려서 생긴 사고였다. 미국 정부는 백신을 좀 더 안전하게 제조하기 위해 1902년에 '생물 의약품에 관한 법'을 통과시켰다. 백신을 생산할 때 제조업체가 따라야 할 안전 규정을 명시하는 법이었다.

20세기의 백신 접종 거부자들

1970년대 후반에 접어들며 소아마비, 파상풍, 디프테리아, 백일해, 홍역, 유행성 이하선염, 풍진에 대한 백신은 개발을 모두 마쳤다. 그리고 미국의 50개 주 전부에서는 어린이가 초등학교에 입학하기 전까지 맞아야 할 백신을 정했다. 이제 백신은 미국인들에게 당연한 삶의 일부로 여겨지고 있었다.

그런데 1982년 4월 18일에 NBC 방송국에서 〈DPT : 백신 룰렛DPT :Vaccine Roulette〉이라는 1시간짜리 다큐멘터리가 방송되면서 상황은 바뀌었다. 이 프로그램은 디프테리아-파상풍-백일해 백신 주사를 맞았을 때 예상되는 위험에 대해서 설명했는데, 여기에는 발작, 뇌 손상, 괴성, 자극에 대한 무반응 등이 포함되었다. 다큐멘터리에서는 과학자와 법률가, 정책 담당자, 성난 부모들의 인터뷰를 보여 주었다. 백신 때문에 건강상 피해를 본 것으로 알려진 어린이들에 대한 이야기와 백신으로 목숨을 잃었다는 아기들의 사진도 등장했다. 이 다큐멘터리는 미국 정부와 의사들, 그리고 제약 회사가 백신의 위험성을 감추고 있으며 백신이 백일해 예방에 효과가 없다고 주장했다.

이 다큐멘터리는 미국에서 한 해 동안 텔레비전에서 방송된 프로그램 가운데 뛰어난 프로그램에 수여하는 에미상을 받기는 했지만, 그럼에도 무책임한 탐사 보도의 여러 요소들을 가지고 있었다. 방송 제작자들은 아이들의 상태에 대한 의학적인 검증 없이 부모들의 이야기를 그대로 담았고, 백신이 그런 해를 끼쳤다는 증거도 제시하지 않았다. 더구나 의사들과의 인터뷰를 조작해서, 의학 전문가들이 백신이 잘못되었다고 느끼는 것처럼 보이게 했다.

〈DPT : 백신 룰렛〉에 대해 미국 감염병 연구자인 폴 오핏은 이렇게 말한다. "애꿎은 의사들이 비난받았고, 그 거짓 인터뷰를 본 부모들은 화가 나서 들고 일어났습니다. 이 프로그램 때문에 백신 반대 단체들이 만들어졌고, 백신이 이득보다 손실이 더 많은지를 판단하기 위한 국회 청문회가 열렸어요." 그로부터 25년이 지난 후에야 연구자들은 이 다큐멘터리에 등장한 어린이들 가운데 상당수가 백신과는 전혀 상관없는 유전 질환인 드라베 증후군에 걸려 있었다는 사실을 발견했다.

사실이건 아니건 간에 이 프로그램이 방영된 뒤로 백신에 반대하는 운동이 일어났고, 백신 접종에 대한 미국인들의 생각도 완전히 바뀌었다. 백신에 대해 걱정하는 부모들이 '불만스러운 부모들의 모임Dissatisfied Parents Together을 조직해, 백신의 안전성을 높

인지 편향이란 무엇일까?

사람들이 백신을 두려워하는 것은 때때로 인지 편향에서 비롯된다. 인지 편향이란 사람이나 상황에 대한 판단을 비논리적인 결론으로 이끄는 사고방식을 말한다. 사람들은 여러 가지 이유에서 사람이나 상황에 대해 비논리적이고 잘못된 결론을 얻는다. 어떤 것을 다른 것보다 강력하게 선호하는 인지 편향이 이런 잘못된 결론을 이끌어 낸다. 심리학자들에 따르면 다음과 같은 인지 편향이 존재한다.

부작위 편향

아무것도 하지 않는 것이 어떤 행동을 하는 것보다 덜 해롭다는 사고방식이다. 이런 생각 때문에 사람들은 백신을 맞는 것이 백신을 맞지 않는 것보다 위험하다고 생각한다. 물론 승인된 백신이 100% 안전하지는 않다. 하지만 과학적인 연구 결과에 따르면 확률상 백신의 위험성이 질병의 위험성보다 훨씬 낮다. 미국의 유명한 과학자이자 발명가이며 정치인이기도 했던 벤저민 프랭클린은 이 부작위 편향이 사람을 나쁜 선택지로 이끌 수 있다는 교훈을 뼈아픈 경험을 통해 얻었다. 프랭클린은 이런 글을 남겼다. "1736년에 4살배기 착한 아이였던 내 아들이 흔한 경로로 천연두에 감염되어 목숨을 잃었다. 나는 아들에게 백신을 맞히지 않은 것을 오랫동안 비통하게 후회했고, 지금도 후회하고 있다. 내가 이 이야기를 하는 건 다른 부모들이 아이에게 백신을 접종하지 않고 넘어가는 일이 없도록 하기 위해서다. 백신을 맞히지 않음으로써 아이가 목숨을 잃는다면 부모들은 스스로 용서하지 못할 것이다. 나의 사례가 그런 경우다. 그러니 꼭 안전을 위해 아이에게 백신을 맞혀야 한다." 처음에 프랭클린은 부작위 편향에 따라 아들에게 접종을 하지 않는 것이 가장 안전한 선택이라고 여겼다. 그리고 그 선택 때문에 프랭클린은 무척 후회했다.

가용성 편향

자신이 경험한 것이나 자주 들어서 익숙하고 쉽게 떠올릴 수 있는 것들을 가지고 세계에 대한 이미지를 만드는 사고방식이다. 일어날 가능성이 높고 흔한 위험보다 극적이고 드물게 벌어지는 최근 사건에 좀 더 집중해서 판단을 내린다. 예를 들어 어떤 사람이 최근에 상어가 사람을 공격했다는 소식을 듣고는 바다에서 물에 빠지는 것보다 상어에게 공격당하는 것을 더 무서워할 수 있다. 하지만 실제로는 바다에 빠져 죽는 일이 훨씬 많이 벌어진다. 이와 비슷하게, 백신의 위험성에 대해 전해 들은 사람들은 사실이든 아니든 그 부작용에 더 집중할 수 있다. 아이가 백신을 맞지 않아 홍역을 비롯한 질병에 걸릴 가능성이 백신을 맞아 부작용이 생길 가능성보다 높은데도 말이다.

부정 편향

사람의 두뇌가 긍정적인 정보보다 부정적인 정보에 더욱 집중하는 사고방식이다. 어떤 사람이 여러분에게 열 번 칭찬을 하고 어느 날 한 번 모욕을 주었다면, 여러분은 칭찬보다 모욕을 더 잘 기억할 것이다. 이 편향은 사람들이 백신의 장점보다는 그보다 적게 일어나는 위험한 부작용에 더욱 집중하게 한다.

확증 편향

여러분이 이미 믿고 있는 가치관, 신념, 판단 따위를 확신시키는 정보를 무의식적으로 좀 더 선호하고 그 밖의 정보는 무시하는 사고방식이다. 백신에 대한 정보를 검색하면 백신에 찬성하거나 반대하는 웹사이트를 찾을 수 있다. 하지만 백신이 안전하지 않다고 믿고 있는 사람이라면 백신 반대론자의 웹사이트 내용에 좀 더 주의를 기울일 가능성이 높다. 확증 편향은 무척 강력하기 때문에 이 편향을 가진 사람에게 정면으로 반박하면 역효과를 일으킬 뿐 아니라 잘못된 믿음이 강화될 수도 있다.

내집단 편향

같은 의견을 가진 사람들이 자기들의 의견을 공유하고 강화하는 사고방식이다. 사람들은 외부인보다 자기가 속한 집단의 구성원을 더 신뢰하는 경향이 있다. 반대로 외부인을 두려워하고 좋아하지 않는다. 예컨대 백신이 위험하다고 믿는 사람들은 똘똘 뭉쳐서 자기들끼리 의견을 나누고 신념을 단단히 하며, 백신이 안전하다는 주장을 무시한다.

사람의 두뇌는 이런 편향들이 있을 뿐 아니라 위험을 제대로 평가하도록 설계되어 있지 않다. 위험을 올바르게 추정하는 작업을 하려면 제한된 정보를 바탕으로 복잡한 계산을 해야 한다. 사람의 감정과 경험이 그 제한된 정보를 가공하는 방식에 영향을 미친다. 예를 들어 대부분의 사람들이 비행기를 타는 것은 극도로 두려워하면서 운전하는 것은 그 정도로 두려워하지 않는다. 통계적으로 비행기 사고가 날 확률보다 교통사고가 날 확률이 훨씬 높은데도 말이다. 하지만 위험에 대한 정확한 정보를 제공한다고 해서 사람들이 반드시 생각을 바꾸는 것은 아니다. 사람들은 자동차에 더욱 익숙하기 때문에 자동차가 좀 더 안전하다고 느낀다. 자기가 합리적으로 사고한다고 믿는 사람이라도 인지 편향 때문에 이런 위험을 평가하는 데 방해를 받을 수 있다.

이고 백신의 위험에 대해 더 많은 정보를 알려 줘야 하며, 아이들에게 백신을 접종할지 말지 부모가 결정할 권리를 가져야 한다고 주장했다.

그러는 동안 수백 명의 부모들이 와이어스사나 레드리사 같은 백신 제조업체를 고소했다. 이 부모들은 뇌 손상을 비롯해 DTP 백신이 자기 아이들에게 일으켰다고 여겨지는 피해를 보상받고자 했다. 그런데 제약 회사 입장에서는 백신이라는 상품이 그렇게 수익성이 높지 않은 데다가, 소송 비용도 많이 들고 세상의 이목을 끄는 재판에 휘말리고 싶지 않아서 백신 생산 중단을 결정하기도 했다. 이런 흐름은 공중 보건 담당자들을 걱정시켰다. 너무 많은 제약 회사가 백신을 생산하지 않으면 백신이 부족해지기 때문이었다.

와이어스사와 레드리사도 고소를 당하자 DTP 백신의 생산을 중단했다. 백신 매출액보다 재판에 걸린 배상금이 200배나 된다는 게 이들 회사의 주장이었다. 레드리사는 나중에 DTP 백신을 다시 생산했지만 법무 비용을 지불하기 위해 백신 가격을 크게 올렸다.

법적 분쟁이 많아지면서 '불만스러운 부모들의 모임'을 이끄는 새로운 대표가 나타났다. 새 대표는 버지니아주 알렉산드리아에서 홍보 담당자로 일하는 바버라 로 피셔^{Barbara Loe Fisher}로, 4살 난 아들이 DTP 백신 때문에 피해를 입었다고 주장했다. 백신을

바버라 로 피셔가 1991년 국가백신정보센터를 설립하면서 백신 반대 운동이 탄력을 받았다. 사진에서 피셔는 소아과 의사인 리처드 팬(맨 왼쪽) 박사가 도입한 캘리포니아 백신 법안에 반대하는 발언을 하고 있다.

3회 맞고 난 이후로 아들이 평소 자기에게 반응하던 것과는 달리 몇 시간이나 멍하니 허공을 응시했다는 것이다. 피셔는 미국에서 백신 안전법을 재정비하는 데 원동력이 되었으며, 보건복지부와 FDA 등의 여러 백신 안전 위원회에 참여했다.

백신의 안전성을 위한 새로운 법과 체계

바버라 로 피셔 같은 활동가들 때문에 미국은 백신의 안전성에 대한 논의에 주목하게 되었다. 하지만 제약 회사에 대한 법정 소송이 늘자 공중 보건 당국은 백신이 부족해져서 병이 다시 유행할까 봐 염려하기 시작했다. 결국 1986년 11월 14일에 당시 미국 대통령인 로널드 레이건은 '국가 아동 백신 상해 보상법'을 제정하는 데 서명했다.

이 법에 따라 국가 백신 상해 보상 프로그램이 만들어졌고, 자기 자녀가 백신 때문에 상해를 입었다고 생각하는 부모는 평생 동안 아이의 병원비를 받을 수 있으며, 아이가 사망하면 25만 달러(우리 돈으로 약 2억 7000만 원)를 받을 수 있게 되었다. 이 돈을 받으려면 아이의 증상이 백신에 의해 일어났다고 추정되는 정부의 상해 목록에 포함되거나, 부모가 자기들의 주장을 증명하는 '우세한 증거'를 제출해야 했다. 다시 말해 부모는 아이가 백신으로 상해를 입었다는 주장이 50% 이상 옳다는 증거를 제시해야 했다.

한편 질병통제예방센터나 FDA의 뛰어난 과학자들 가운데 상당수가 이 프로그램을 반대했다. 충분한 과학적 증거 없이 보상이 이루어질 수 있다고 여겼기 때문이다. 더구나 부모들은 대개는 과학적·의학적 지식이 부족한 판사들 앞에서 자신들의 주장을 내세웠다. 그렇게 이 프로그램이 시행된 이래 1만 7000건 이상의 청구 중 약 5000건이 보상을 받았다. 이런 사례들 가운데 상당수는 연구 결과가 보여 주듯이 백신과 상관없음이 분명한 상해와 건강상의 문제, 사망 사건이었다. 그렇지만 이 프로그램은 아이들의 상해가 백신과 관련 있다며 제시하는 증거가 빈약해도 부모들에게 유리하도록 만들어져 있었다.

1986년에 제정된 법에 따라 국가 백신 프로그램 사무국이 만들어졌다. 이 사무국은 전국의 보건 의료 종사자로 하여금 부모들에게 '표준 백신 정보 보고서'를 제공해 주어, 아이에게 권장 백신을 맞히기 전 모든 부모가 읽을 수 있도록 했다. 보고서에는 특정 백신의 목적, 백신이 예방하는 질병의 증상, 누가 백신을 맞아야 하고 누가 맞으면 안 되는지에 대한 설명이 적혀 있었다. 그뿐만 아니라 연구에 기초한 백신의 위험성과 백신이 몸에 심각한 반응을 일으키면 어떻게 해야 하는지도 설명해 놓았다.

그리고 백신 부작용 보고 체계도 만들어졌다. 이 체계에 따르면 부모와 보건 의료 종사자, 백신 접종자들은 백신 접종 뒤에 일어나는 모든 건강상의 문제를 보고할 수 있다. 이렇게 수집된 자료는 과학자들이 알려지지 않은 백신의 부작용을 살필 때 무척 도움이 된다. 만약 같은 백신을 맞은 여러 사람이 똑같은 문제를 보고하거나 백신이 문제를 일으킬 수 있다는 생물학적인 근거가 있다면, 과학자들은 백신과 그 문제가 연관되었는지를 살피는 연구를 계획할 수 있다. 이런 방식으로 과학자들은 최초의 로타바이러스 백신과 장중첩증 사이의 연관을 밝혀냈다.

하지만 백신이 부작용 보고 체계에 보고된 모든 사항을 일으킨 원인은 아니었다. 예를 들면 "어떤 환자가 사람 유두종 바이러스 백신인 가다실을 처음 접종받고 49일이 지난 뒤 사고로 우물에 빠져 숨을 거뒀다."라는 보고가 실리기도 했다. 시간이 지나면서 백신 반대론자들은 백신 부작용 보고 체계에 보고된 사연을 인용해 백신이 온갖 종류의 건강상 문제를 일으킨다고 주장했다. 실제로는 대규모의 잘 설계된 연구를 통해서만 어떤 백신이 특정 반응을 일으킨다는 사실을 증명할 수 있는데도 말이다.

그럼에도 바버라 로 피셔는 1986년의 법이 충분하다고 여기지 않았다. 피셔는 부모들이 자녀에게 백신을 맞혀야 할지 말지를 완전히 결정할 수 있어야 하며, 학교에서 의무적으로 백신을 접종하면 안 된다고 생각했다. 그에 따라 피셔는 1991년에 '불만스러운 부모들의 모임'을 국가백신정보센터NVIC로 확장시켰다. 이 센터는 미국에서 가장 크고 영향력 있는 백신 반대 단체다. 이 단체는 자기들이 백신 안전 보장을 추구하는 것이지 백신 접종을 반대하는 것은 아니라고 주장한다. 하지만 이 단체에 속한 백신 비판론자들은 백신에 대한 잘못된 정보를 퍼뜨리며 백신의 안정성을 입증하는 확고한 연구 결과들을 무시한다.

그즈음인 1989년 상반기에 미국에서는 홍역 환자가 갑자기 평소보다 5배나 늘었다. 대부분은 백신을 맞지 않은 사람들이었다. 그 뒤로 2년 동안 미국에서는 5만 5000명 이상의 환자가 발생해 1만 1000명이 입원하고 123명이 사망했는데, 특히 너무 어려서 백신을 맞지 못했던 유아들의 피해가 컸다. 공중 보건 담당자들은 이렇게 집단 발병이 일어난 원인은 많은 유아들이 생후 12~15개월에 권장되는 홍역 백신을 맞지 않았기 때문이라고 결론 내렸다. 어떤 부모는 일부러 백신을 맞히지 않았고, 어떤 부모는 돈이 없어서 맞히지 못했으며, 아기를 병원에 데려갈 수 없는 경우도 있었다. 게다가 몇몇 병원은 사람들의 수요에 부응할 만큼 백신과 의료진을 갖추지 못했다. 이 집단 발병은 청소년들에게도 일어났는데, 생후 12~15개월에 권장되는 홍역 백신을 1회 맞았지만 한 번의 주사로는 면역계가 충분히 강하게 반응하지 않았기 때문이다. 그래서 질병통제예방센터는 이후로 백신을 2회 접종하도록 권장했고, 이렇게 추가 접종으로 홍역을 98~99% 예방할 수 있게 되었다.

미국 공중 보건 당국은 홍역 집단 발병을 계기로 앞으로의 유행을 예방하는 절차를 검토하게 되었다. 이에 따라 1993년에 '어린이를 위한 백신'이라는 새로운 프로그램이 시작되었다. 돈이 없어서 건강 보험을 들지 못하는 가정의 19세 미만 아이들에게 백신을 접종하는 프로그램이다. 이 프로그램 덕분에 미국 전역에서 홍역 백신 접종률이 크게 높아졌다. 1996년에는 3세 이하의 어린이 90%가 백신을 맞았는데, 1990년 이전의 70% 미만에 비하면 접종률이 꽤 오른 셈이다. 그 결과 2000년에 보건 당국은 미국에서 홍역이 제거되었다고 선언했다.

웨이크필드 스캔들

영국의 소화기내과 의사인 앤드루 웨이크필드Andrew Wakefield는 1998년 2월 28일에 영국 런던의 왕립 자유병원에서 기자 회견을 열었다. 웨이크필드를 비롯한 12명의 공동 저자들은 영국에서 가장 오래되고 유명한 의학 저널인 〈랜싯Lancet〉에 12명의 아이를 대상으로 한 연구를 발표한 참이었다. 이 아이들은 처음에는 이상이 없다가 갑작스레 언어 능력을 잃고 다른 의학적인 장애가 생겼다. 이들 가운데 9명은 자폐증 진단을 받았다. 자폐증은 다른 사람과 상호 관계를 형성할 수 없고 정서적인 유대감도 일어나지 않는 장애다. 그뿐 아니라 이 아이들은 설사와 복통도 호소했다.

웨이크필드에 따르면, 아이의 부모들은 홍역-유행성 이하선염-풍진 백신MMR을 접종받은 뒤 아이들에게 이런 변화가 생겼다고 주장했다. 하지만 나중에 조사해 보니, 웨이크필드는 아이들의 의료 정보를 바꾸고 조작한 것으로 드러났다. 백신 접종 전에 이미 자폐증 증상을 보인 아이들도 있었고, 자폐증이 전혀 없거나 나중에 장애가 사라져 정상적으로 발달하게 된 아이들도 있었다. 아이들에게 복통이 나타난 이유는 대부분 단순한 변비 때문이었다. 그러나 기자 회견에서 웨이크필드는 MMR 백신이 자폐증과 함께 새로운 위장 장애를 일으켰다고 주장했다.

사실 웨이크필드의 연구 결과가 MMR 백신이 자폐증을 유발함을 보여 준 것은 아니었다. 단지 자폐증의 증상과 백신 접종이 비슷한 시기에 겹쳤다는 점만 알려 줄 뿐이었다. 이런 종류의 관찰 연구는 어떤 요인이 어떤 현상을 일으켰다는 사실을 보여 줄 수 없다. 무작위로 나눈 두 어린이 집단을 비교하는 방식의 연구만이 인과관계를 나타낸다. 그뿐 아니라 연구 대상이 고작 12명이라서 확실한 인과관계를 보여 주기에는 너무 적은 수였다. 그런데도 웨이크필드는 아이들에게 자폐증이 나타나지 않게 하려면 MMR 백신을 전부 접종하기보다는 홍역 백신만 1회 접종해야 한다고 대중 앞에서 주장했다.

영국의 유명한 소화기내과 의사인 앤드루 웨이크필드는 MMR 백신과 자폐증이 연관되어 있을 가능성에 대한 소규모 연구 결과를 발표했다. 영국 〈선데이 타임스〉의 기자 브라이언 디어는 이 연구가 사기성이 짙다고 폭로했지만, 그럼에도 이를 계기로 자폐증에 대한 두려움에 초점을 맞춘 새로운 백신 반대 운동이 시작되었다.

이 사건은 신문 머리기사로 실려 금세 영국 전역에 퍼졌다. 자폐증은 새로 등장한 증후군이 아니었다. 하지만 당시 자폐증으로 진단받는 환자가 증가하면서 이 장애를 다루는 기사도 실렸다. 그러자 많은 부모들이 자녀에게 '자폐증을 일으키는 원인이 되는' 모든 것을 필사적으로 피하려 했고, 영국에서 MMR 백신

혼동을 일으키는 상관관계와 인과관계

우리 뇌가 하는 일 가운데 하나는 세계를 조리 있게 이해하는 것이다. 그래서 뇌는 원인과 결과 같은 패턴을 찾아내려 한다. 예컨대 독감 백신을 맞고 얼마 되지 않아 몸이 아픈 것처럼 어떤 사건이 다른 사건에 뒤이어 벌어지면 뇌는 두 사건을 연결 짓곤 한다. 그래서 사람들은 실제로는 그렇지 않은데도 백신이 어떤 질병을 일으켰다고 오해하는 것이다. 비슷한 시기에 일어나는 두 사건은 상관관계에 있다. 그리고 어떤 사건이 다른 사건을 일으킨 경우를 인과관계라고 한다. 과학자들을 비롯한 전문가들은 상관관계와 인과관계를 헷갈리지 말라고 사람들에게 충고한다.

백신이 자폐증을 일으킨다는 두려움에도 이런 혼동이 자리한다. 아기들은 보통 생후 12개월에서 18개월 사이에 단어를 활용해 말을 하며, 18개월쯤 되면 사물을 가리키며 말하기 시작한다. 하지만 자폐증에 걸린 아기들은 말을 하거나 눈을 마주치지 못하고 사물에 집중하지 못할 수 있다. 그런데 MMR을 비롯한 다른 백신은 12개월에서 15개월 사이에 접종하며, 이때는 자폐증 아이들에게 처음으로 증상이 나타나는 시기이기도 하다. 그래서 어떤 부모들은 상관관계와 인과관계를 혼동해 백신이 자기 자녀에게 자폐증을 일으켰다고 믿는다.

어떤 것이 다른 것을 일으키는 원인인지 알아보기 위해 과학자들은 연구 대상을 둘로 나누어 비교하는 작업을 한다. 한 집단은 원인이라 추정되는 요인에 노출되고 다른 집단은 노출되지 않는다. 만약 해당 요인에 노출된 집단에서 예상되는 결과가 더 자주 일어났다면 그 요인은 원인으로 작용했을 가능성이 있다. 반대로 두 집단에서 예상되는 결과가 비슷하게 일어났다면 그 요인은 원인이 아닐 것이다. 과학자들은 MMR 백신을 비롯한 다른 백신을 맞은 집단과 그렇지 않은 집단에서 자폐증이 발생하는 빈도를 조사했고, 그 결과 백신은 자폐증을 일으키지 않는다는 사실을 보여 주었다.

접종률은 떨어지기 시작했다. 웨이크필드가 기자 회견을 한 후 5년 만에 백신 접종률은 91%에서 80%로 크게 감소했다.

당시 미국에서도 자폐증으로 진단받는 아이들이 늘어나고 있었다. 영국에서와 마찬가지로 일부 미국 부모들은 백신이 아이들의 자폐증을 일으켰다고 생각했다. 하지만 이들은 아직 MMR 백신에 대한 앤드루 웨이크필드의 주장을 전해 듣지 못한 상태였다. 그 대신 이들의 두려움은 '티메로살'이라는 백신의 특정 성분에 집중되었다.

티메로살은 백신이 세균에 오염되지 않도록 해 주는 방부제로, 수은 성분이 들어 있다. 그런데 몇몇 물고기에서 발견되는 메틸수은 같은 일부 수은 화합물은 신경 조직을 파괴하는 독성 물질이다. 사람이 이런 성분에 지나치게 많이 노출되면 몸에 축적되고 뇌를 손상시킬 수 있다. 그러나 티메로살에 포함된 성분인 에틸수은은 메틸수은과 달리 우리 몸에 들어오면 1~2주 안에 배출된다. 에틸수은이 몸에 해롭다는 연구는 아직 나오지 않았지만, 몇몇 과학자들은 백신에 들어가는 소량의 티메로살이 뇌 손상을 일으키지 않는다는 것을 확실히 하기 위해 연구가 더 필요하다고 주장했다.

이런 상황에서 1999년에 FDA는 만일의 경우에 대비해 백신에서 티메로살을 제거하라고 백신 제조업체에 권고했다. 이 권고 자체는 논란의 여지가 있었다. 몇몇 백신 전문가들은 이런 권고 때문에 마땅한 근거가 없는데도 티메로살이 안전하지 않은 것처럼 보일 것이라고 염려했다. 과연 이 권고안이 백신의 안전성에 대한 부모들의 신뢰를 높일 수 있었을까?

FDA의 권고안에 따라 백신 제조업체는 독감 백신을 제외하고 6세 미만의 영유아에게 권장되는 모든 백신에서 티메로살을 제거했다. 그 뒤 연구자들은 이 방부제에 대한 연구를 계속했다. 그렇게 200건 이상의 연구를 검토한 다음에야 미국 의학연구소는 2004년에 "티메로살이 포함된 백신과 자폐증 사이에 연관이 없다는 증거를 여러 연구 결과가 지속적으로 제공한다."고 결론 내렸다.

하지만 FDA가 티메로살을 제거하기로 한 결정 자체가 사람들에게 백신에 대한 의심을 불러일으켰다. 어떤 부모들은 '만약 티메로살이 위험하지 않다면 어째서 FDA에서 그 성분을 빼라고 권장했을까?'라는 의문을 던졌다. 그중에서도 백신에 들어 있는 티메로살에 대해 격렬하게 반대하는 유명인이 있었다. 환경 운동가이자 변호사인 로버트 F. 케네디 주니어Robert F. Kennedy Jr.였다. 그의 아버지인 로버트 F. 케네디는 미국의 상원의원이자 법무장관을 거친 인물이었고, 삼촌은 대통령을 지낸 존 F. 케네디였다. 로버트 F. 케네디 주니어는 증거도 없이 티메로살이 자폐증과 뇌 손상을 일으킨다고 주장했다. 그리고 뒤이어 웨이크필드의 연구 소식이 미국에 전해졌다. 티메로살과 MMR 백신에 대한 두려움이 한

데 뒤섞였고, 수백만 명의 미국 부모들은 백신이 자녀에게 자폐증을 일으킬까 봐 공포에 떨었다.

이렇듯 미국에서 백신에 대한 두려움이 계속되는 와중에 백신 반대를 외치는 또 다른 인물이 등장했다. 할리우드 배우인 제니 매카시Jenny McCarthy였다. 매카시의 3살짜리 아들은 자폐증 징후를 보였다. 2005년에 유명한 텔레비전 토크쇼인 '오프라 윈프리 쇼Oprah Winfrey Show'에 출연한 매카시는 아들이 자폐증을 앓고 있으며 백신이 자폐증을 일으켰다고 말했다. 매카시는 백신 반대론자가 되었고, 남자 친구인 배우 짐 캐리Jim Carrey와 함께 더 안전한 백신을 요구하는 시위를 벌였다. 그 결과 당시의 백신이 이미 무척 안전했는데도 미국에서 백신 접종률은 떨어지기 시작했다.

한편 영국에서는 〈선데이 타임스The Sunday Times〉의 기자 브라이언 디어Brian Deer가 7년에 걸쳐 웨이크필드의 연구를 조사했다. 디어는 웨이크필드가 2004년부터 2011년까지 의료 윤리 지침을 어겼고 의료 비리에 가담했으며 사기를 쳤다는 사실을 보여 주는 기사를 10편 넘게 썼다. 구체적으로 말하면, 웨이크필드는 MMR 백신이 사람들의 신뢰를 잃게 되자 자기가 개발한 홍역 백신을 내놓았고, 부모들이 MMR 백신 대신 자기 백신을 선택하게 해서 금전적으로 이득을 얻었다. 또한 웨이크필드는 MMR 백신이 위험하다는 연구를 발표하고 나서 MMR이 해롭다고 주장하는 가족들을 대변하는 한 변호사에게서 돈을 받았다. 웨이크필드와 이

2008년 미국 워싱턴 DC에서 열린 기자 회견에서 로버트 F. 케네디 주니어가 백신이 인체에 해롭다는 주장을 펼치고 있다. 정치 명문가 출신인 케네디가 이렇게 주장하자 백신 반대 운동은 사람들에게 더욱 큰 주목을 받게 되었다.

변호사는 백신이 다른 새로운 증후군을 일으킨다는 증거를 찾아낼 계획을 세우기도 했다. 게다가 웨이크필드는 연구 대상이었던 아이들의 부모에게 제대로 된 동의를 얻지도 않았다. 사실은 변호사가 그 아이들을 연구 대상으로 삼도록 웨이크필드에게 돈을 지불했다. 마지막으로 웨이크필드는 연구에서 여러 수치들과 중요한 세부 사항을 제멋대로 바꾸고 지어냈다.

그 결과 몇 년이 지나 웨이크필드 논문의 공동 저자들은 이 연구를 부정하게 되었다. 브라이언 디어는 이 탐사 보도로 영국 언론인상을 받았다. 웨이크필드는 2010년 1월, 발달 장애 아동을 학대한 행위 12건을 포함해 30건 이상의 죄목으로 유죄 판결을 받았다. 〈랜싯〉은 공식적으로 이 논문 게재를 철회했고, 웨이크필드는 의사 면허를 박탈당했다. 하지만 아직 웨이크필드가 끼친 해는 남아 있다. 사람들이 백신의 안전성에 대해 의심하도록 씨앗을 뿌리는 데 성공한 것이다. 그리고 웨이크필드는 영국에서 미국으로 이주해 백신이 자폐증을 일으킨다는 거짓된 믿음을 계속 퍼뜨리고 있다.

 ## 기계적 중립에 빠진 언론

웨이크필드와 매카시, 케네디를 비롯한 백신 반대론자들만이 백신이 자폐증을 유발한다는 두려움을 불러일으킨 것은 아니었다. 언론 역시 이에 한몫을 했다. 물론 신문과 잡지, 인터넷, 텔레비전 뉴스는 백신과 자폐증 사이에 연관이 없다는 새로운 연구 결과들을 보도했다. 하지만 이런 언론들은 백신 반대론자들의 주장과 백신이 자폐증을 일으킨다는 일부 사람들의 믿음도 함께 보도했다. 상반되는 주장들이 동시에 나오자 부모들은 어떻게 해야 할지 혼란에 빠졌다.

과학자들은 자폐증이 백신과 관계없다는 사실을 거듭 밝혔다. 실제로 자폐증이 100개 이상의 유전자가 관련된 유전적인 장애라는 사실을 보여 주는 연구 결과도 여럿 등장했다. 이미 아기

백신 음모론

2014년에는 또 다른 백신 음모론이 등장해 백신 반대 운동에 다시 불을 지폈다. MMR 백신이 자기 아들에게 자폐증을 일으켰다고 믿는 생화학자 브라이언 후커(Brian Hooker)가 2004년에 발표된 한 연구의 데이터를 부적절하게 조작하면서 시작된 음모론이었다. 질병통제예방센터에서 일하는 과학자인 윌리엄 톰프슨(William Thompson)이 공동 저자로 참여한 이 연구는 자폐증과 백신 사이에 연관이 있다는 사실을 보여 주지 않았지만, 후커는 논문을 토대로 MMR 백신을 맞은 흑인 소년들이 자폐증에 걸릴 위험성이 높다고 주장했다.

그러자 앤드루 웨이크필드가 유튜브에 게시물을 올려 질병통제예방센터가 자폐증과 백신 사이의 연관성을 감추고 있다고 주장했다. 이 영상에는 2004년의 자기 연구가 잘못되었다고 인정하는 톰프슨과의 대화 내용이 포함되었다. 웨이크필드는 톰프슨을 가리켜 '질병통제예방센터의 내부 고발자'라고 불렀다. 내부 고발자란 어떤 조직에 소속된 상태에서 진실을 밝힐 목적으로 그 조직의 부패와 타락을 '호루라기 불듯' 폭로하는 사람을 일컫는다.

하지만 다른 공동 저자들은 논문 내용에 대해 별말을 하지 않았고, 후커의 주장에는 여러 문제점이 있다는 사실이 밝혀졌다. 나중에 자폐증 환자인 블로거 맷 캐리(Matt Carey)는 질병통제예방센터의 문서와 서류를 분석해 은폐 행위가 없었다는 사실을 보여 주었다. 그럼에도 웨이크필드는 2016년 4월에 질병통제예방센터에서 은폐가 벌어졌다는 음모론을 선전하는 영상을 공개했다. 이 영상에는 사실 관계에 대한 여러 오류와 연구 결과에 대한 그릇된 해석이 포함되었고, 위험할 정도로 시청자들을 잘못된 결론으로 이끄는 내용이 담겨 있다.

가 태어나기 전부터 이 병이 존재했다는 것이다. 하지만 많은 기자들이 '백신 음모론'을 다룰 때 양쪽의 입장을 공정하게 보여 주어야 한다는 의무감, 즉 기계적 중립에 빠지곤 했다. 한쪽 주장이 과학적으로 틀렸는데도 말이다. 기자들은 여러 기사에서 백신이 자폐증을 일으키지 않는다는 연구 결과를 실은 다음, 백신이 자폐증의 원인이라는 부모나 유명 인사들의 주장을 같이 실었다. 백신과 자폐증 사이에 연관이 있다고 믿는 의사들이 등장하면 기자들은 가끔 그들의 주장도 인용했다. 하지만 이런 의사들은 과학적으로 입증되지 않았거나 주요 의료 단체에서 지지하지 않는 치료법을 사용하는 사람들이었다.

그러는 동안 여러 웹사이트에서는 '대체 의학'을 홍보했다. 보통 의학 분야의 학위가 없는 사람이 운영하는 이런 웹사이트에서는 비타민이나 오일, 허브를 비롯해 여러 비전통적인 방법을 사용하여 질병을 '자연적'으로 치유할 수 있다고 주장한다. 그리고 몇몇 웹사이트는 백신을 포함한 의약품들이 몸에 해롭다고 말한다. 이들은 백신이 자폐증 말고도 당뇨, 알레르기, 영아 돌연사 증후군, 암 같은 다른 문제를 일으킬 수 있다고 주장한다.

이런 웹사이트 가운데 과학적으로 입증된 주장을 펼치는 데는 한 군데도 없다. 하지만 21세기 들어 인터넷에서 이런 뉴스와 정보를 얻는 미국인들은 점점 더 많아지고 있다. 어떤 웹사이트가 믿을 만한지 구별하기도 쉽지 않다. 그렇게 백신에 대한 정보를 검색하는 부모들은 상반되는 주장을 접하게 된다.

부모들은 점점 더 불안해졌다. 몇몇 부모들은 질병통제예방센터의 백신 접종 권장안에 따르기보다는 일부 백신을 맞히지 않거나 접종 간격을 띄워 달라고 소아과 의사에게 요구했다. 백신이 자폐증을 일으킨다는 주장을 완전히 믿지는 않는다 해도, 몇몇 부모들은 자녀들이 짧은 간격을 두고 너무 많은 백신을 맞는 게 아닌지 염려했다. 백신이 자녀들의 면역계를 제압해서 꼼짝 못 하게 할까 봐 걱정하기도 했다. 하지만 과학적 증거에 근거할 때 질병통제예방센터의 접종 권장안에 따르지 않으면 아이들은 해당 질병으로부터 보호받지 못하는 기간이 더 길어질 뿐이다.

새로운 대규모 발병

이렇듯 백신 반대론자들의 두려움 섞인 반대가 있었지만 미국 주 정부는 아이들이 학교에 입학하기 전에 특정 백신을 접종해야 한다고 규정했다. 다만 몇 가지 예외가 있었다. 예를 들어 백신 성분에 대해 희귀한 알레르기가 있는 아이들은 의무적인 접종에서 면제받았다. 또 대부분의 주에서는 종교적인 믿음에 따른 접종 거부를 허용했다. 힌두교, 불교, 유대교, 이슬람교, 기독교를 비롯한 세계 주요 종교 가운데 백신 접종을 공식적으로 거부하는 종교는 없지만 백신을 반대하는 일부 소규모 종파가 있었다. 그 밖에 몇몇 주에서는 종교적인 이유가 아닌 부모의 '개인적인 믿음'에 따라 자녀의 의무 접종을 면제해 주기도 했다.

국가백신정보센터의 설립자 바버라 로 피셔는 더 많은 주에

제대로 알기에는 지식이 너무 적을 때

많은 부모들은 백신의 효능과 위험성을 스스로 찾아보려고 한다. 이것은 부모로서 당연한 행동이다. 하지만 인터넷에는 잘못된 정보가 넘쳐나기 때문에 과학 지식과 훈련이 부족한 사람들은 '더닝-크루거 효과'의 희생양이 될 수 있다. 더닝-크루거 효과는 미국의 사회심리학자인 데이비드 더닝(David Dunning)과 저스틴 크루거(Justin Kruger)의 이름을 딴 현상이다.

두 사람은 특정 기술 영역에서 자원자들의 능력을 시험하고 자기 기술의 수준이 어느 정도인지 추측하는 질문을 던졌다. 그 결과 특정 영역에서 기술 수준이 가장 낮은 자원자들은 자기들의 능력을 과대평가하고, 기술 수준이 가장 높은 자원자들은 자기 능력을 정확하게 평가한다는 사실을 발견했다. 그것은 자원자들의 지능과는 상관이 없었다. 이 실험을 바탕으로 나온 더닝-크루거 효과는 특정 영역에서 특수한 고급 훈련을 받지 않은 사람들은 지적 능력이나 교육 수준과 상관없이 자기가 그 영역에 대해 실제로 얼마나 이해하는지 정확하게 알지 못하는 현상을 말한다. 다시 말해 백신에 대해 스스로 알아보고자 하는 부모들은 아무리 지적이고 교육 수준이 높은 사람이라 해도 백신에 대한 연구를 부정확하게 해석하기 쉽다. 백신에 대한 전문 지식이 없기 때문이다. 백신에 대해 폭넓게 공부해 본 경험이 없는 상태에서는 본인이 전문적인 백신 관련 연구를 얼마나 잘 이해할 수 있는지도 알지 못한다. 게다가 인터넷에는 백신 반대론자들이 운영하는 여러 웹사이트가 있는데, 여기에서도 과학 연구를 인용하기는 하지만 잘못 해석하거나 왜곡하는 경우가 많다.

서 더 다양한 이유로 백신 접종을 면제해야 한다고 주장했다. 국가백신정보센터는 백신 접종 규정을 완화하고, 더 많은 부모들이 자녀에게 백신을 맞히지 않는 선택을 할 수 있도록 주 의원과 연방 의원들에게 로비를 벌였다. 또 주 입법 공청회에서 백신의 해로움을 증언할 부모들을 모집했고, 의원들에게 백신에 대한 잘못된 정보를 전달했다. 이 단체는 자녀들의 의무적인 백신 접종을 쉽게 면제받을 수 있는 방법을 부모들에게 알려 주었다. 그 결과 일부 지역에서 백신 접종률이 떨어졌다.

미국에서 백신 반대 운동이 거세지면서 일부 지역에서 집단 면역이 깨지기 시작했다. 2010년 캘리포니아주에서는 백일해가 대규모로 유행해 1959년 이후로 가장 많은 9000명 이상의 환자가 발생했다. 그리고 4년 뒤에 또다시 캘리포니아주에서 백일해가 유행해 거의 1만 명의 환자가 나왔다. 무세포성 백일해 백신은 시간이 갈수록 효과가 떨어지기 때문에 당시 유행의 가장 큰 요인이 되었다. 또 연구 결과에 따르면 학교에서 백신 접종을 면제받는 아이들의 비율이 늘어날수록 유행은 더욱 심해졌다.

그러나 진짜 경종은 2014년 연말에 울렸다. 캘리포니아주에 있는 세계적인 놀이공원 디즈니랜드에서 홍역이 발생한 것이다. 그해에 이미 27개 주에 걸쳐 667명의 홍역 환자가 발생한 상황이었다. 이것은 2000년에 미국에서 홍역이 제거된(완전히 퇴치되지는 않은) 이래로 가장 많은 숫자였다. 이 가운데 절반 이상이 오하이오주에서 벌어진 대규모 발병에서 비롯했는데, 환자들은 대부분 백신 접종을 맞지 않은 아미시 종교 공동체의 구성원이었다. 아미시 종교 공동체는 현대 문명을 거부한 채 자신들만의 전통을 지키며 살아가는 기독교의 한 종파 집단으로, 공동체 가운데 일부는 아이들에게 백신을 접종하지 않는다.

오하이오주의 집단 발병은 대중에게 크게 알려지지 않았다. 하지만 디즈니랜드에서 벌어진 집단 발병은 신문 머리기사를 장식했고, 뒤이어 부모들과 보건 의료 전문가들의 질타가 이어졌다. 재미있고 안전한 가족 놀이공원이라는 디즈니랜드의 명성은 사람의 목숨을 빼앗을 수도 있는 질병의 위협 앞에 산산이 깨졌다.

디즈니랜드의 집단 발병은 외국 관광객으로부터 시작되었을 가능성이 크다. 균주를 분석한 결과 예전에 필리핀에서 집단 발병을 일으켰던 홍역 균주와 같았기 때문이다. 홍역은 곧 캘리포니아주 전역을 비롯해 미국 서부의 다른 주로 퍼져 나갔는데, 특히 백신 접종률이 낮은 지역에서 빠르게 퍼졌다. 한 연구 결과에 따르면 홍역의 전파를 막기 위해서는 공동체 구성원의 약 95%가 백신을 맞아야 한다. 하지만 홍역이 새롭게 퍼져 나가던 당시에는 대부분의 공동체에서 백신 접종률이 86% 미만이었다.

홍역 집단 발병으로 캘리포니아주에서 131명의 환자가 발생했고, 미국의 다른 주와 캐나다, 멕시코에서 25명의 환자가 추가로 발생했다. 캘리포니아주에서 홍역에 걸린 사람들의 70%는 백

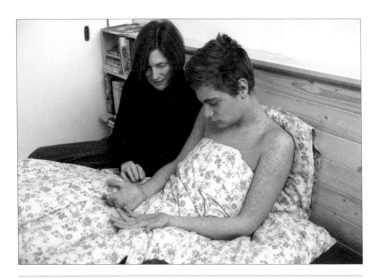

한 10대 소년이 어머니와 함께 자기 몸에 돋은 홍역 발진을 살피고 있다. 이 소년은 어렸을 때 홍역 백신을 맞지 않았기 때문에 10대에 이 질병을 맞닥뜨렸을 때 면역력이 없어 감염되었다. 비록 홍역으로 사망하는 사람은 소수지만 이 병은 기관지염, 폐렴, 뇌의 염증 같은 심각한 합병증을 일으킬 수 있다.

신 접종을 받지 않은 사람들이었다. 그리고 감염된 사람들 가운데 일부는 홍역 백신을 1회만 맞고, 정부에서 권장하는 2회 접종은 받지 않은 상태였다.

이 집단 발병은 백신에 대한 미국인들의 태도를 변화시켰다. 언론 매체에서는 비록 한쪽이 잘못된 정보에 기초해 주장을 펼치더라도 모든 안건에서 공정하게 양쪽 편을 들려고 하는 '기계적 중립'에 덜 집중하게 되었다. 그 대신 대부분의 뉴스에서 백신 접종을 거부하면서 생긴 공중 보건상의 위험을 중점적으로 다루었다. 많은 부모들은 백신 접종을 거부하는 사람들 때문에 너무 어리거나 몸이 아파서 백신을 맞지 못하는 사람들을 포함한 더 큰 공동체가 위험에 빠지게 된다는 데 분노했다.

집단 발병에 뒤이은 법안 통과

디즈니랜드의 집단 발병 사태로 자극을 받은 캘리포니아주 부모들은 더욱 강력한 백신 관련 법안을 만들도록 정부에 요청했다. 집단 발병 사태 전에는 몇몇 주를 제외한 거의 모든 주에서 종교적 이유처럼 의학적이지 않은 이유로 백신 접종에서 면제되는 것을 허용했다. 이런 상황에서 캘리포니아주의 부모들은 소아과 의사이자 캘리포니아주 의원이었던 리처드 팬Richard Pan과 함께 캘리포니아주에서 의학적이지 않은 이유로 접종을 면제받는 일이 금지되도록 촉구했다. 팬은 상원 법안 277호를 발의해 법 자체를 바꾸자고 제안했다.

법안 통과는 쉽지 않았다. 이 법안을 지지하지 않는 항의자들은 공중 보건 담당자들이 국민에게 백신을 강제로 접종해 살인을 저지르고 있다며 과장된 주장을 펼쳤다. 이들은 공중 보건 담당자들이 제2차 세계대전 때 독일 나치 정부가 유대인들에게 저질렀던 것과 똑같은 행동을 하고 있다며 비난했다. 나치 정부는 제2차 세계대전 당시 유대인들뿐만 아니라 동성애자, 장애인들을 비롯한 600만 명을 강제 수용소에 몰아넣어 죽였다. 몇몇 부모들은 자녀가 백신 때문에 손상을 입었다고 눈물을 흘리며 증언했다. 하지만 반대로 백신을 접종했다면 충분히 예방했을 질병에 걸려 목숨을 잃은 아이들에 대해 이야기하는 사람들도 있었다. 결국 법안은 통과되었다. 그리고 백신 접종을 더욱 엄격하게 의무화하려는 다른 주의 노력 역시 탄력을 얻었다.

하지만 그동안 백신 접종률이 떨어진 것 때문에 미국은 여전히 대가를 치러야 했다. 예를 들어 2017년 봄에는 미네소타주 미니애폴리스의 소말리아 이민자 공동체에서 홍역이 집단 발병했다. 10년 전만 해도 소말리아 이민자 공동체는 미네소타 다른 지역에 비해 MMR 백신 접종률이 높았다. 소말리아 이민자 가정 출신 2살배기의 백신 접종률은 92%였는데, 미네소타주의 평균은 88%였다.

그런데 미니애폴리스의 소말리아 이민자 공동체는 과학적으로 설명할 수는 없지만 다른 곳에 비해 지적 장애를 가진 자폐증 아이들이 상대적으로 많았다. 이 공동체에서 자폐증 아이의 비율은 미니애폴리스의 다른 백인 아동 집단과 비슷했지만 지적 장애 비율이 더 높았다. 앤드루 웨이크필드를 비롯한 백신 반대론자들은 이 공동체를 표적으로 삼아 백신이 위험하다는 잘못된 정보를 퍼뜨렸다. 그 뒤로 미네소타주에서 소말리아 이민자 가정 아이들의 MMR 백신 접종률은 곤두박질쳐 2009년에는 67%, 2014년에는 42%로 떨어졌다. 그러다가 2017년 4월 집단 발병 사

한 어머니가 세 자녀와 함께 캘리포니아주의 상원 법안 277호에 대한 항의 시위를 벌이고 있다. 이 법안은 2015년에 디즈니랜드에서 홍역이 집단적으로 발병하면서 곧바로 발의되어 통과되었다. 캘리포니아주 초등학생들에게 백신 접종을 엄격하게 의무화하는 것이 법안의 내용이다.

태가 터지고 한 달이 지나자 미네소타 주민 가운데 66명이 홍역에 감염되었다. 이 가운데 62명이 백신을 맞지 않은 사람들이었고, 57명이 소말리아 이민자 공동체 사람이었다.

이런 집단 발병이 일어난 이유는 부분적으로는 백신이 성공을 거뒀기 때문이다. 그동안 백신 덕분에 미국에서 소아마비, 홍역, 파상풍, 뇌염을 비롯한 다른 여러 감염병이 거의 사라졌기 때문에, 미국 부모들은 더 이상 이런 질병의 무서움을 알지 못했다. 백신학자 스탠리 플로트킨은 이렇게 말한다. "문제는 사람들이 눈

홍역에 감염된 사람이 한 명이라도 있으면 그 사람은 병을 쉽게 옮긴다. 이런 이유로 미니애폴리스의 한 병원에서는 2017년 홍역이 집단 발병한 시기에 방문자들이 꼭 마스크를 쓰게 했다. 당시 홍역은 미니애폴리스의 소말리아 이민자 공동체에서 주로 퍼졌는데, 이곳 부모의 상당수가 자녀들에게 백신 맞히기를 거부한 적이 있었다.

에 보이는 것보다 눈에 보이지 않는 것에 주의를 덜 기울인다는 것입니다. 사람들 눈에는 이런 질병이 보이지 않았습니다."

하지만 디즈니랜드에서 벌어진 집단 발병은 감염병이 과거의 유물이 아니라는 사실을 되새겨 주었다. 이 질병들은 없다고 부정하거나 무시할 만한 존재가 아니었다. 이런 질병을 무시하고 백신 접종을 거부했다가는 병이 널리 퍼지고 많은 사람들이 목숨을 잃을 수도 있다.

백신에 대한 전 세계적인 저항

영국과 미국에서만 국민들이 백신에 반대한 것은 아니었다. 전 세계 여러 지역에서 백신 반대 운동이 벌어졌다. 그런데 이들의 반대 운동은 미국이나 유럽에서 벌어진 운동과는 다른 경우가 많았다.

로마 가톨릭교회는 전 세계적으로 꽤 큰 영향력을 가지고

백신 때문에 일어난 참사

21세기 들어 백신 때문에 재난을 겪는 경우는 거의 없다. 백신에 대한 규제가 엄격한 선진국에서는 더욱 그렇다. 하지만 전쟁으로 피폐해진 가난한 나라에서는 규정을 강화할 자원과 돈이 없기 때문에 백신 관련 사고가 이따금 일어난다.

2014년 9월, 내전이 시작된 지 3년이 지난 시리아에서 홍역 백신을 묽히는 데 사용되는 식염수에 '아트라큐리움 베실레이트'라는 근육 이완제가 섞이는 사고가 일어났다. 내용물을 담은 약병이 비슷했기 때문에 벌어진 일이었다. 아트라큐리움으로 오염된 백신을 맞고 75명의 어린이가 이상을 보였으며, 그 가운데 15명이 사망했다. 2015년 5월에는 멕시코 치아파스주에서 B형 간염 백신을 맞은 아기 2명이 사망하고 29명이 병원에 입원하는 사고가 일어났다. 백신이 세균에 오염되어 생긴 일이었다.

그리고 2016년 봄, 백신 관련 사고가 중국 전체를 뒤흔들었다. 중국 산둥성의 한 약사가 유통 기한이 지난 채 제대로 보관되지 않은 200만 개 이상의 백신을 중국 전역의 병원에 팔아 넘겼기 때문이다. 이 백신을 자녀에게 맞힌 부모들은 중국 정부에서 지원하는 백신 접종 프로그램에 포함되지 않은 질병으로부터 자녀를 보호하기 위해 비용을 지불했다. 다행히 백신 때문에 건강에 문제가 생긴 아이들은 없지만, 백신학자들에 따르면 이 백신은 질병을 예방하는 데 효과가 없을 가능성이 크다.

시리아, 멕시코, 중국에서 벌어진 이 사고들은 이중의 부정적인 효과를 불러일으킨다. 첫째, 오염된 백신을 맞은 어린이들이 건강상의 문제가 생기거나 목숨을 잃을 수 있다. 둘째, 백신 관련 사고는 정부의 백신 접종 캠페인이나 다른 공공 보건 정책에 대한 국민의 신뢰를 무너뜨린다. 이렇듯 신뢰가 무너지면 사람들은 백신을 거부하게 되고, 그에 따라 수많은 사람들을 질병과 죽음으로 내모는 문이 활짝 열릴 것이다.

있다. 이 교회는 사람들이 자손을 낳기 위해서가 아니라 쾌락을 위해 성관계를 할 가능성이 있다는 이유로 인공적인·중절 수술을 반대한다. 가톨릭 신자가 많은 몇몇 나라의 교회 지도자들은 WHO에서 질병을 예방하기 위해서가 아니라 여성들이 아기를 갖지 못하게 하려고 백신을 놓는다고 의심하면서 이것은 교회의 교리에 어긋난다고 주장했다.

또 1990년대에 멕시코, 베네수엘라, 탄자니아, 필리핀에서는 WHO의 파상풍 백신 접종 캠페인이 사실은 여성들을 대상으로 한 은밀한 산아 제한 정책이라는 소문이 퍼졌다. 이와 비슷한 주장이 2014년 케냐에서도 표면화되었다. 이 나라의 의사 집단과 가톨릭교회 주교들은 파상풍 백신이 여성들을 불임으로 만들어 케냐의 인구 과잉을 막는 데 사용되고 있다고 주장했다. 이 소문을 처음으로 퍼뜨린 의사는 자신이 백신을 의심하는 이유가 15~49세의 여성에게 특히 권장하기 때문이라고 말했다. 이 시기는 여성이 임신할 수 있는 가임기이다. 가임기의 여성들에게 이 백신을 접종하는 이유는 단지 여성들이 가질 아기를 보호하기 위해서이다. 엄마가 백신을 맞으면 아기는 생후 6주가 지나 처음으로 백신을 맞을 때까지 파상풍으로부터 보호받을 수 있다. 결국 논란은 해결되었고 백신 접종은 계속됐다. 케냐를 비롯해 이 백신을 접종한 나라에서 임신률과 출생률은 예전과 같았다.

5장

☑ 백신 개발의
전망

에드워드 제너가 8살 사내아이 제임스 핍스에게 최초로 우두를 접종한 이후로 백신학은 엄청나게 발전했다. 21세기 들어 백신학자들은 재조합 백신이나 결합 백신 같은 혁신적인 기술을 활용해 질병과 싸울 뿐 아니라 실험적인 DNA 백신 같은 새로운 기술도 개발하고 있다. 혁신적인 기술이 필요한 이유는, 백신학자들이 싸워 이기려는 병원체들이 까다롭고 복잡하기 때문이다.

두 열대병 이야기

　　전 세계에서 가장 치명적인 감염병 두 가지가 있다. 인류가 가장 힘들게 싸워 온 질병이기도 하다. 바로 모기에 의해 전파되는 말라리아와 뎅기열이다. 전 세계 인구의 절반이 이 질병에 감염될 위험에 놓여 있다. 말라리아와 뎅기열은 일 년 중 대부분이 따뜻하고 습한 열대 지역에서 발생한다. 모기는 따뜻한 고인 물 속에 알을 낳고, 거의 모든 모기가 밤에 가장 활발하게 활동한다.

아노펠레스속 모기들은 말라리아를 일으키는 기생충(말라리아 원충)을 옮긴다. 이 기생충은 다른 생물을 먹이로 삼아야 살아갈 수 있는 원생동물이다. 말라리아를 일으키는 원생동물은 5종인데 전부 플라스모디움속이다. 이 가운데 주로 열대열원충*P. falciparum*과 삼일열원충 *P. vivax* 2종이 여러 증상과 사망을 동반하는 말라리아를 일으킨다. 2015년에 말라리아에 걸린 사람은 전 세계적으로 2억 1400만~2억 8600만 명이었으며, 그 가운데 약 43만 8000명이 사망한 것으로 추정된다. 이는 예전보다 많이 줄어든

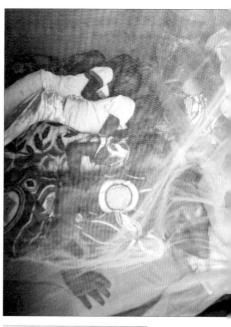

서아프리카 국가인 시에라리온에서 한 가족이 밤에 모기에 물리지 않도록 모기장을 치고 잠을 자고 있다. 모기장은 말라리아 감염을 줄이는 데 도움이 되지만, 이 질병과 싸우는 더 효과적인 무기는 백신이다.

것으로, 2010년에서 2015년 사이에 말라리아 감염자가 18% 감소했고, 사망자는 거의 절반으로 뚝 떨어졌다.

이렇듯 환자가 줄어든 이유는 병을 옮기는 매개체를 통제했기 때문이다. 즉, 모기의 개체군을 줄인 것이다. 각국 보건 관리 담당자들은 다양한 방법을 활용해 모기 수를 줄였다. 어떤 나라에서는 담당자들이 모기 번식지에 강력한 살충제를 뿌렸다. 전 세계 말라리아 사망자의 약 90%를 차지하는 사하라 이남 아프리카 지역에서는 살충제 처리를 한 모기장을 각 가정에 나눠 주기도 했다. 여러 유형의 모기가 밤에 활동하기 때문에 사람들은 잠자리를 모기장으로 둘러싸 잠을 자는 동안 모기에 물리지 않게 예방한다. 매개체를 통제하는 다른 방법도 있다. 창문에 방충망을 설치한다든가 모기가 알을 낳는 물웅덩이를 없애는 것이다. 그러나 무엇보다 말라리아 감염을 줄이는 데 도움이 되는 것은 모기장이다. 2015년에는 사하라 이남 아프리카에서 말라리아에 걸릴 위험이 있는 인구의 절반 이상이 살충제 처리가 된 모기장 안에서 잠을 잤는데, 2005년에는 이들 가운데 고작 5%만이 모기장을 사용했다.

그렇지만 매개체 통제만으로는 충분하지 않다. 미국 퍼듀대학교의 곤충학자 그웬 피어슨Gwen Pearson은 이렇게 말한다. "이 작업이 까다로운 건 모기 유충이 1센티미터 정도의 얕은 물에서도 살 수 있기 때문이죠. 그 말은 모기가 알을 낳을 장소가 많다는 겁니

다. 자기가 쓸 물을 직접 길어 오고 포장되지 않은 길이 많은 저
개발 국가에서는 특히 그렇죠. 발자국 속에 생긴 진흙탕은 모기
가 알을 낳기에 딱 좋은 장소예요."

더욱이 모기 종 가운데 상당수는 살충제에 대한 내성을 발
달시켰다. 플라스모디움속의 몇몇 종에서 살아가는 기생충들은
여러 종류의 항말라리아 약제에도 내성을 가진다. 또 말라리아를

기후 변화와 감염병

오늘날 온실 효과를 일으키는 이산화탄소가 지구의 대기에 많아지면서 전 세계적으로
기온이 높아지고 있다. 사람들이 석유나 석탄, 천연가스와 같은 화석 연료를 태울 때마
다 대기 중에 이산화탄소가 방출된다.

기온이 올라가면서 강우 형태가 바뀌어 어떤 지역에서는 가뭄이 들고 어떤 지역에서는
강한 폭풍우가 몰아친다. 예전보다 비가 많이 내리는 지역에서는 모기가 알을 낳기 좋은
물웅덩이가 많아지기 때문에 모기의 개체 수가 증가한다. 곤충학자 그웬 피어슨에 따르
면 일부 모기들은 가뭄이 들어도 살아남는다. 뎅기열을 옮기는 숲모기속 모기의 알은 건
조한 날씨에도 잘 견딘다. 어떤 지역에서 큰비가 내린 다음 뒤이어 가뭄이 들어도 숲모
기속 모기의 알은 물 없이 몇 달을 살아남는다.

하지만 과학자들은 기후 변화가 모기가 옮기는 질병 건수에 어떻게 영향을 미칠지 정확
히 모른다. 모기와 모기가 옮기는 병원체의 행동 방식에 영향을 주는 요인은 여러 가지
다. 기후가 변화하면 이런 요인들 역시 변화한다. 예를 들어 아노펠레스속 모기와 그 기
생충이 얼마나 많든 상관없이, 지구 온난화 때문에 플라스모디움속 기생충이 말라리아
를 일으키는 능력이 떨어진다는 몇몇 연구 결과가 있다.

옮기는 모기가 30종 이상이나 된다는 점도 위협적이다. 각각의 종이 서로 다른 방식으로 행동하기 때문이다. 몇몇 종은 집 안에서 피를 빨고, 몇몇 종은 집 밖에서 피를 빤다. 밤에 활동하는 종이 있는가 하면 새벽에 활동하는 종도 있다.

공중 보건 담당자들은 뎅기열 역시 말라리아와 비슷한 매개체 통제 방식으로 다스리려 한다. 뎅기열을 일으키는 범인은 이집트숲모기*Aedes aegypti*와 흰줄숲모기*Aedes albopictus*가 옮기는 바이러스다. 세계 128개국에서 25억~39억 명이 뎅기열에 걸릴 위험이 있다고 추정된다. 말라리아와는 달리 뎅기열은 전 세계적으로 확산되는 추세다. 미국과 오스트레일리아, 뉴질랜드, 그리고 아시아의 여러 국가들에서 뎅기열 환자 수는 2008년에 120만 명에서 2010년 220만 명, 2015년 320만 명으로 급증했다.

뎅기열로 보고된 사례가 많아진 것은 예전보다 더 많은 자료가 수집되었기 때문이다. 연구자들이 더 많이 찾아 나설수록 더 많은 뎅기열 사례가 발견된다. 전 세계에서 매년 2억 8400만~5억 2800만 명이 뎅기열에 감염되지만, 이들 전부가 증상을 보이는 것은 아니다. 감염된 사람들 가운데 약 25%만이 증상을 겪는다. 그리고 50만 명은 뎅기열에서 발진한 '뎅기 출혈열'이라는 매우 심각한 증상을 보인다. 뎅기열 자체는 말라리아만큼 치명적이지 않지만, 그래도 매년 2만 2000명 정도가 목숨을 잃는 것으로 추정된다.

뎅기열을 옮기는 모기는 대부분 낮에 사람을 물기 때문에 모기장으로는 피할 수 없다. 게다가 이집트숲모기와 흰줄숲모기는 대부분 인구밀도가 높은 도시에 산다. 도시에는 빗물이 고일 수도 있는 움푹한 장소와 물건이 무척 많다. 작은 음료수병 뚜껑에 물이 고여도 모기가 번식하기에 충분하다. 물이 따뜻할수록 모기는 더 빨리 자란다.

다루기 힘든 뎅기열

뎅기 바이러스는 까다로운 특성을 가졌다. 이 바이러스는 혈청형(특정한 항원이나 항체에 대하여 독특하게 반응하는 성질)에 따라 네 가지로 분류되며, 어떤 혈청형이든 첫 감염은 증상이 가볍다. 감염된 사람은 그 혈청형에 대해서만 면역이 생기고 나머지 세 종류에는 면역이 없다. 그러다가 나머지 혈청형에 두 번째로 감염되면 증상이 훨씬 심해진다. 이미 생성된 면역이 나머지 혈청형에 의한 감염을 퇴치하는 것이 아니라 오히려 악화시킨다.

2011년에 연구자들은 '뎅그박시아'라는 새로운 뎅기열 백신을 개발해 인도네시아, 말레이시아, 타이, 필리핀, 베트남의 2~14세 아이들 1만여 명을 대상으로 시험했다. 이 백신은 두 가지 혈청형에는 면역 효과가 좋았지만, 나머지 두 종류에는 효과가 훨씬 떨어졌다. 그런데 3년 뒤 백신 접종을 받은 2~5세 아이들은 접종을 받지 않은 아이들에 비해 7배나 많이 뎅기열로 입원했다. 과학자들은 이 아이들 가운데 이전에 뎅기 바이러스에 감염된 경우는 얼마 되지 않을 것이라 추측했다. 그런 상황에서 백신 접종이 나머지 두 종류 혈청형에 대한 충분한 면역을 형성하지 못하고, 오히려 초기 감염의 역할을 했을 가능성이 있었다. 그에 따라 나중에 이 두 가지 혈청형 바이러스에 감염된 아이들은 증상이 무척 심하게 나타났다. 백신을 아예 접종하지 않은 경우보다 오히려 심했다.

또 다른 뎅기열 백신 임상 시험이 남아메리카의 5개국에서 9~16세 아이들 2만여 명에게 실시되었다. 이들 국가에서 뎅기열 바이러스는 다른 연령대에 비해 이 연령대의 아이들에게 훨씬 더 많이 감염되었다. 그런데 임상 시험 이후 뎅기열로 입원하는 환자 수가 늘지는 않았다. 그에 따라 2015년에 제약 회사 사노피 파스퇴르사는 9~45세의 사람들에게 뎅그박시아 백신을 사용해도 좋다는 승인을 받았다.

과학자들은 승인을 받은 후에도 이 백신에 대해 계속 연구했고, 1년 뒤에는 모든 임상 시험 결과를 분석했다. 과학자들은 뎅그박시아 백신이 뎅기열이 많이 전파되는 지역에 사는 사람들에게는 유용하다는 결론을 내렸다. 하지만 전파율이 낮은 지역에서는 뎅기열로 입원하는 사례가 백신을 접종한 뒤에 오히려 더 많아졌기 때문에 이익보다는 위험성이 더 컸다. 뎅기열 전파율이

중간 정도인 지역에서는 이 백신이 전반적으로 유용하기는 했지만 환자가 발생해 입원하는 사례는 조금 증가했다.

과학자들은 'TV003'이라는 새로운 뎅기열 백신을 개발하고 있다. 이 백신은 뎅기열의 네 가지 혈청형에 모두 면역 효과가 좋을 것이라 기대된다. 이렇게 효과가 향상된 백신이 나오면 바이러스에 처음 감염되었는지 아닌지는 상관이 없다. 즉 예전에 바이러스에 노출된 적이 있는지, 어떤 혈청형인지에 관계없이 심한 뎅기열 증상이 나타나지 않게 예방할 수 있을 것이다.

완전한 면역을 얻기 어려운 말라리아

말라리아는 뎅기열보다도 더욱 까다로운 질병이다. 대부분의 질병은 한번 앓고 나서 회복되면 면역이 생겨 나중에 감염이 되더라도 인체가 보호를 받을 수 있다. 하지만 말라리아는 그렇지 않다. 말라리아에 걸린 사람은 부분적으로 면역을 얻을 뿐이다. 이전에 말라리아에 걸렸던 환자들은 몇 번이고 다시 걸릴 가능성이 있는데, 다만 나중에는 감염되어도 증세가 그렇게 심하지 않을 수 있다. 이렇듯 질병 자체가 자연적으로 완전한 면역이 되지 않기 때문에 백신학자들은 완벽하게 면역을 형성하는 백신을 만들기가 어렵다. 백신은 보통 인체의 자연적인 면역 반응을 발동시키는 방식으로 작용한다. 하지만 몸이 효과적인 반응을 하지 못하면 백신이 그런 반응을 자극해서 발동시킬 수 없다.

효과적인 말라리아 백신을 개발하기가 어려운 또 다른 이유는 플라스모디움속 기생충이 서로 다른 두 종류의 숙주 몸속에서 살아가기 때문이다. 바로 사람과 아노펠레스속 모기인데, 사람 몸속에서는 무성 생식을, 모기의 몸속에서는 유성 생식을 한다. 플라스모디움속 기생충의 생애 주기는 전부 합쳐 열 단계가 넘을 정도로 복잡하다. 먼저 모기가 사람을 물면, 기생충이 포자 소체의 형태로 사람의 핏속에 들어간다. 포자 소체는 혈류를 타고 간까지 이동한다. 여기서 포자 소체는 수천 마리의 분열 소체(낭충)를 방출한다. 이 분열 소체는 간을 떠나 몸 전체의 적혈구를 침략한다. 일단 분열 소체가 적혈구 안에 들어가면 증식해서 적혈구 세포를 터뜨리고 분출된다. 이 과정에서 열, 두통, 근육통, 메스꺼움 같은 말라리아의 여러 증상이 발생한다. 그리고 새로 생겨난 분열 소체는 더 많은 적혈구를 감염시킨 다음 적혈구를 터뜨리면서 빠져나온다.

백신 접종 담당자들은 말라리아를 퇴치하기까지 여러 장애물을 넘어야 한다. 왜냐하면 이 병을 일으키는 기생충이 사람과 모기 둘 다를 숙주로 삼는 데다 생애 주기가 복잡하기 때문이다. 사진은 페루의 루푸나라는 마을에서 한 곤충학자가 연구를 위해 말라리아 기생충을 옮기는 모기를 한곳에 몰아넣는 모습이다.

그다음 단계에서 기생충 일부는 적혈구 속에 생식 모세포라는 미성숙한 생식 세포를 만든다. 이때 또 다른 아노펠레스속 모기가 감염된 사람을 물면 이 생식 모세포가 모기의 몸속으로 들어간다. 생식 모세포는 모기의 위장 속에서 유성 생식을 통해 새로운 포자 소체를 만들며, 이 포자 소체가 모기의 침샘으로 이동해 다른 사람 숙주의 몸속에 들어가기 전까지 여기서 기다린다.

이처럼 플라스모디움속 기생충은 각각의 숙주 몸속에서 자꾸 형태를 바꾸기 때문에 백신으로 기생충을 공격하여 없애기가 힘들다. 2002년에는 백신학자들이 플라스모디움속 기생충에 감염된 모기를 방사선에 노출시켜 기생충의 포자 소체를 백신의 목표로 삼으려는 실험을 시도했다. 그러니까 방사선에 노출된 모기가 자원자들을 문 다음 어떤 일이 벌어지는지 살펴봤다. 모기는 자원자들의 몸에 포자 소체를 퍼뜨렸지만 포자 소체는 너무 약해 해를 입히지 못했다. 그렇지만 사람의 면역계는 약해진 포자 소체를 침입자로 인식해 나중에 말라리아에 감염되더라도 대항할 수 있을 만한 방어력을 쌓을 수 있다.

하지만 이 접근 방식의 문제점은 비용이 많이 드는 데다 수백만 마리의 모기를 잡아 방사선에 노출시키는 작업이 사실상 실현 불가능하다는 것이었다. 지금은 미국의 생명공학 기업인 사나리아사에서 방사선에 노출된 포자 소체를 활용해 백신을 만드는 좀 더 실용적인 방법을 연구하고 있다.

또 다른 말라리아 백신인 RTS,S는 2015년 '모스퀴릭스'라는 이름으로 유럽에서 승인을 받았다. 영국의 제약 회사인 글락소 스미스클라인사가 만든 RTS,S는 포자 소체 속의 한 단백질을 목표로 삼는다. 이 단백질은 그 자체만으로는 약해서 사람의 면역계를 자극하지 못한다. 그래서 연구자들은 이 단백질을 B형 간염 항원과 융합시켜 침입자를 도드라지게 만들어 사람의 면역계가 좀 더 잘 인식하도록 했다. RTS,S 백신은 가장 치명적인 말라리아 기생충인 열대열원충에만 효과가 있는데, 이 기생충은 말라리아로 인한 사망의 약 절반을 일으킨다. 그리고 이 백신은 4회를 맞아야만 효과가 있다. 그 가운데 3회는 한 달 간격으로 맞고 나머지 1회는 18개월 뒤에 맞는다.

하지만 이 백신은 병을 완전히 예방하기보다는 말라리아에 걸리는 횟수를 줄이는 효과밖에 기대할 수 없는 것으로 보인다. 임상 시험에서 RTS,S 백신은 5세 이하의 영유아가 말라리아에 걸리는 횟수를 4분의 1로 줄였고, 5~17세의 아이들은 3분의 1로 줄였다. 그렇지만 아프리카에서는 대부분의 백신 접종 프로그램에 RTS,S를 포함시키지 않았다. 2016년에 WHO는 가나, 케냐, 말라위에 이 백신의 안전성과 접종 시기를 알아보는 시험적인 프로그램을 운영하기 시작했다. 이 프로그램을 통해 RTS,S 백신이 얼마나 많은 사람들의 목숨을 살릴 수 있는지도 밝혀질 것이다.

그 밖에도 열 가지가 넘는 말라리아 백신이 만들어지고 있지만 RTS,S만큼 개발이 진전된 것은 없다. 이런 백신 가운데 하나는 병을 예방하는 것보다는 전파를 줄이는 데 초점을 맞춘다. 먼저 한 사람이 백신을 맞으면 그 사람의 몸속에서 모기의 위장 속 기생충에 대항하는 항체가 만들어진다. 나중에 모기가 백신을 맞은 사람을 물어 피를 빨았을 때, 모기는 이 항체를 같이 흡수하게 된다. 그러면 항체가 모기 몸속에서 기생충을 공격해 죽임으로써 기생충이 더 번식해 다른 사람들을 감염시키는 것을 막는다. 하지만 이런 접근 방식은 백신을 맞은 당사자를 질병으로부터 보호하지는 못한다. 그래도 기생충을 죽여 집단 면역을 형성하는 효과는 있다. 그 모기가 다른 사람을 물더라도 그 사람이 기생충에 감염되지 않는다는 말이다.

몇몇 말라리아 백신은 플라스모디움속 기생충의 생애 주기 전체를 목표로 삼으며, 제2상 임상 시험 단계까지 왔다. 실제로 많은 과학자들이 기생충의 여러 생애 주기를 공격 대상으로 삼는 것이 병을 막는 최선의 방법이라고 여긴다.

 ## 새로운 위협으로 떠오른 지카열

2015년 봄, 브라질 여러 지역에서 당혹스러운 일이 일어났다. 머리가 비정상적으로 작은 소두증을 갖고 태어나는 아기가 갑자기 늘어난 것이다. 소두증을 갖고 태어난 아기는 뇌가 평균보다 작고 평생 발작이나 발달 지연, 지적 장애와 학습 장애를 겪을 수 있다. 운동, 균형 잡기, 청각, 시각뿐 아니라 무언가를 먹는 데도 문제가 생길 가능성이 있다. 소두증에 대한 치료법은 없으며, 이 증상과 관련된 건강상의 문제들은 조기 사망으로 이어질 수 있다. 풍진을 앓는 어머니가 임신을 하여 태아에게 병을 전달하는 선천성 풍진이 소두증을 일으키는 원인 가운데 하나다. 하지만 소두증 집단 발병이 일어난 시기는 풍진이 아메리카 대륙에서 제거되었다고 보건 담당자들이 선언한 이후였다. 소두증을 일으킨 범인은 따로 있는 게 분명했다.

이후 몇 개월에 걸쳐 공중 보건 담당자들과 유행병학자들을 비롯한 과학자들은 단서를 하나하나 모아 꿰맞춰 나갔다. 결국 이들은 증상의 원인이 지카 바이러스라고 결론 내렸다. 지카열을 일으키는 모기는 뎅기열을 전파하는 모기와 동일한 이집트숲모기와 흰줄숲모기였다. 이 병은 성관계로도 전파되었다. 연구자들은 1952년에 아프리카 우간다의 레서스원숭이한테서 지카열이라는 병을 처음 발견했다. 그로부터 2년 뒤 아프리카 나이지리아에서 지카열에 걸린 환자가 최초로 발생했다. 하지만 이 병은 당시만 해도 드물게 발생했고, 사람에게 나타나도 증상이라고는 일시적인 발열, 관절염, 눈의 쓰라림, 발진 정도였다. 이 병은 이후 아프리카 여러 곳과 아시아에도 퍼졌지만 장기적으로 문제를 일으키지는 않았다.

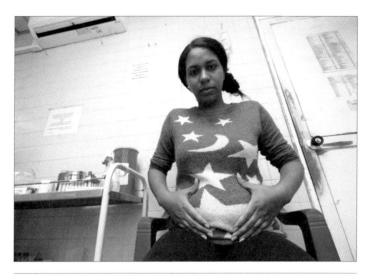

콜롬비아의 한 산부인과 병원에서 진료를 기다리는 임신부. 지카 바이러스에 감염된 임신부는 유산이나 사산을 겪거나 심각한 장애를 가진 아기를 낳을 수 있으므로 지카열을 예방하는 백신 개발은 매우 절실하다.

    그러다가 2007년에 남태평양에 자리한 야프섬에서 지카열이 처음으로 유행하는 단계에 이르렀다. 남태평양의 다른 여러 섬에서도 이 병이 퍼졌다. 이번에는 지카 바이러스에 감염된 사람들이 마비 증세를 일으킬 수 있는 신경 장애인 길랭-바레 증후군을 보였다. 그리고 2015년에는 지카열이 남아메리카와 중앙아메리카에서 유행하기 시작했다. 연구자들은 2014년 월드컵 축구 대회를 보러 브라질에 온 외국 관광객이 지카열에 감염된 채 병을 퍼뜨렸을 것이라 추정했다.

    2015년에 나타난 바이러스 균주는 이전의 균주에 비해 인체에 더 많은 해를 끼쳤다. 연구자들은 이 균주가 2007년 남태평양에 도달했을 당시나 그 전에 돌연변이를 거쳤을 것이라 여긴다. 2015년에 감염된 환자들 가운데 일부는 길랭-바레 증후군을 보였다. 그리고 바이러스에 감염된 임신부들 가운데 일부는 소두증을 비롯해 다른 선천적 장애를 가진 아기를 출산했다. 유산이나 사산(태아가 엄마 뱃속에서 사망하는 것)을 겪는 임신부들도 있었다. 연구자들은 그동안 이 바이러스가 태아에게 어떤 방식으로 해를 끼치는지에 대해 많은 사실들을 밝혀냈다. 이 병은 결국 45개국 이상에 전파되었다.

모기 개체 수를 줄이는 매개체 통제 작전은 지카열을 다스리는 데 부분적으로 효과가 있다. 하지만 장기적인 해법은 아니다. 따라서 전 세계 연구자들은 곧장 백신 개발에 들어갔다. 여러 정부 기관, 의료 기관, 교육 기관에서 가능성 있는 백신을 개발하기 시작했고, 2016년 여름 미국 국립보건원에서는 80명의 건강한 성인을 대상으로 지카열 백신에 대한 1상 임상 시험을 실시했다. 백신을 개발하는 데 보통 오랜 시간이 걸리기 때문에 이 정도의 진전은 정말 번개처럼 빠른 속도였다. 국립보건원의 임상 시험 결과 해당 백신은 안전하며 인체에서 면역 반응을 이끌어 낸다는 사실이 밝혀졌다.

연구자들은 그 뒤로도 시험 참가자들의 몸에 미치는 백신의 안전성과 효과를 추적 검사했고, 국립보건원은 2017년 3월에 이 백신에 대한 2상 임상 시험에 들어갔다. 2상 시험은 미국, 푸에르토리코, 브라질, 페루, 코스타리카, 파나마, 멕시코에서 2490명의 건강한 성인을 대상으로 이루어졌다. 지카 바이러스 감염이 일어난 지역은 모두 포함되었다. 이 임상 시험에서는 백신을 몇 회 맞아야 결과가 가장 좋은지를 알아내고, 안전성과 효과를 계속 평가했다. 그러는 동안 2017년 지카열 환자는 2016년에 비해 급격히 감소했다. 하지만 과학자들은 적어도 앞으로 10년 동안은 이 병이 사라지지 않고 남아 있을 것이라 경고한다.

전 세계에서 가장 예방하기 힘든 질병, 에이즈

아프리카에서 10대들이 걸려서 사망하는 가장 흔한 병은 인간 면역 결핍 바이러스^{HIV}가 일으키는 에이즈^{AIDS}(후천성 면역 결핍증)다. 전 세계적으로 에이즈는 10대의 사망 원인 가운데 2위다. 2015년에 210만 명이 인간 면역 결핍 바이러스에 감염되었고 110만 명이 에이즈로 사망했다. 인간 면역 결핍 바이러스는 혈액이나 성적인 접촉을 통해 감염된다. 어머니가 출산 과정에서 아기에게 이 바이러스를 전파하기도 한다.

에이즈 유행은 1980년대부터 시작되었으며, FDA는 1987년에 최초의 에이즈 치료약을 승인했다. 1996년에는 인간 면역 결핍 바이러스 백신을 개발하기 위한 '국제 에이즈 백신 계획'이 전 세계적으로 시작되었다. 과학자들은 70%의 효과를 가진 백신으로도 병이 전파되는 연쇄 고리를 깨어 매년 발생하는 새로운 감염을 대부분 막을 수 있다고 추정한다. 감염된 사람이 줄어들수록 그 사람들이 다시 감염시키는 사람 수도 줄어든다.

인간 면역 결핍 바이러스는 여러모로 백신 개발 과정에서 가장 어려운 도전 과제라 할 수 있다. 이 바이러스는 사람의 몸속에서 하루에 수십억 개의 복제본을 생산하며, 이 과정에서 돌연변이가 수없이 발생한다. 이런 식으로 인간 면역 결핍 바이러스는 그동안 알려진 어떤 유기체보다도 빠르게 진화한다. 끊임없이 성질과 구조가 달라지는, 움직이는 목표물인 셈이다.

게다가 이 바이러스는 우리 몸이 스스로를 지키고 보호하는 체계인 면역계 자체를 공격하기 때문에 더욱 다루기가 어렵다. 특히 이 바이러스는 보조 T세포를 공격하고 침입하여 보조 T세포 안에서 스스로 복제하는데, 보조 T세포는 B세포가 항체를 생산하도록 활성화하는 세포다. 몸속에 건강한 보조 T세포가 부족하면 항체를 만들어 낼 B세포도 부족해지고, 또 다른 바이러스들이 몸을 공격할 수 있다. 의사들이 T세포의 수를 추적해 인간 면역 결핍 바이러스에 감염된 사람들의 건강을 관리하는 것도 이런 이유에서다. 아무리 몇몇 B세포가 항체를 만들어 내도, 이 항체들은 바이러스를 담고 있는 보조 T세포를 공격할 것이다. 그것은 마치 병사들이 죽어 가는 장군을 공격하는 것과 비슷하다. 그리고 바이러스가 무척 빠르게 돌연변이를 일으키기 때문에, 사람의 몸은 최신 버전의 바이러스를 알아챌 만큼 빠르게 새로운 항체를 만들어 내지 못한다.

인간 면역 결핍 바이러스 백신을 개발하려는 노력은 그동안 성과를 내지 못했다. 1983년에 이 바이러스가 처음 발견된 이후 연구자들이 사람을 대상으로 시험 단계까지 들어간 백신은 세 가지뿐이었다. 그리고 그 가운데 효과가 있는 백신은 없었다.

그러다가 2016년 후반에 새로운 임상 시험이 시작되면서 효과 있는 백신이 나올지도 모른다는 기대감이 높아졌다. 공공 기금을 지원받는 국제단체인 '인간 면역 결핍 바이러스 백신 임상 연구 네트워크HVTN'가 이 시험을 수행했다. 이 새로운 백신 후보는 실험실에서 'HVTN 702'라 불렸다. 그리고 현장에서 연구자들은 이 백신을 '우함보'라고 이름 붙였는데, 이는 아프리카 짐바브웨의 쇼나족 언어로 '기회'를 뜻하며, 또 다른 남아프리카공화국 코사족 언어로는 '여정'을 뜻하는 말이다. 이 백신은 남아프리카에서 5년에 걸쳐 5400명의 젊은 남성과 여성을 대상으로 임상 시험을 거칠 예정이다.

HVTN 702는 이미 타이에서 일부 성공적인 시험을 거친 두 개의 다른 실험적 백신으로 구성되어 있다. 그중 첫 번째 백신은 ALVAC-HIV이다. 사노피 파스퇴르사에서 만든 이 백신은 사람에게는 감염되지 않는 '카나리아 두창'이라는 질병을 일으키는

인간 면역 결핍 바이러스(HIV)의 복제 과정

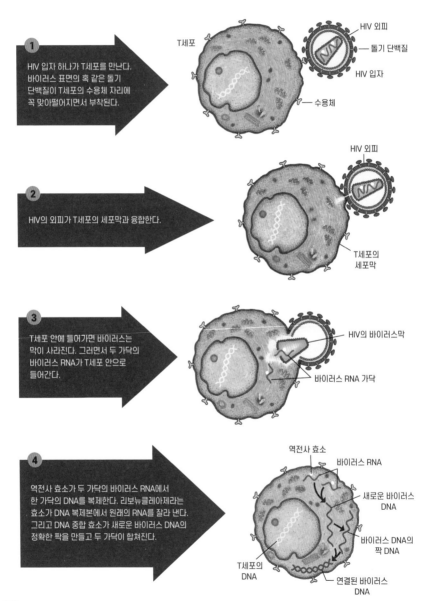

1 HIV 입자 하나가 T세포를 만난다. 바이러스 표면의 혹 같은 돌기 단백질이 T세포의 수용체 자리에 꼭 맞아떨어지면서 부착된다.

T세포

HIV 외피
돌기 단백질
HIV 입자
수용체

2 HIV의 외피가 T세포의 세포막과 융합한다.

HIV 외피

T세포의 세포막

3 T세포 안에 들어가면 바이러스는 막이 사라진다. 그러면서 두 가닥의 바이러스 RNA가 T세포 안으로 들어간다.

HIV의 바이러스막

바이러스 RNA 가닥

4 역전사 효소가 두 가닥의 바이러스 RNA에서 한 가닥의 DNA를 복제한다. 리보뉴클레아제라는 효소가 DNA 복제본에서 원래의 RNA를 잘라 낸다. 그리고 DNA 중합 효소가 새로운 바이러스 DNA의 정확한 짝을 만들고 두 가닥이 합쳐진다.

역전사 효소
바이러스 RNA
새로운 바이러스 DNA
바이러스 DNA의 짝 DNA
T세포의 DNA
연결된 바이러스 DNA

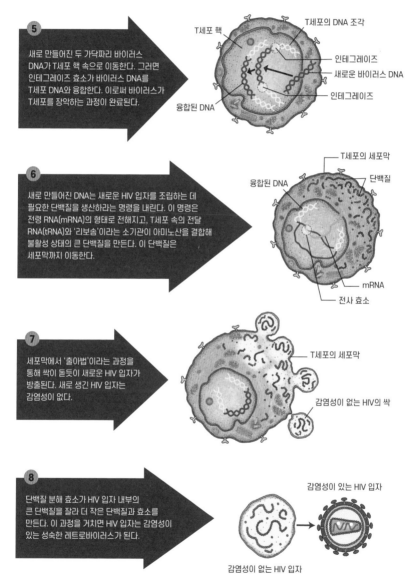

5 새로 만들어진 두 가닥짜리 바이러스 DNA가 T세포 핵 속으로 이동한다. 그러면 인테그레이즈 효소가 바이러스 DNA를 T세포 DNA와 융합한다. 이로써 바이러스가 T세포를 장악하는 과정이 완료된다.

T세포 핵
T세포의 DNA 조각
인테그레이즈
새로운 바이러스 DNA
인테그레이즈
융합된 DNA

6 새로 만들어진 DNA는 새로운 HIV 입자를 조립하는 데 필요한 단백질을 생산하라는 명령을 내린다. 이 명령은 전령 RNA(mRNA)의 형태로 전해지고, T세포 속의 전달 RNA(tRNA)와 '리보솜'이라는 소기관이 아미노산을 결합해 불활성 상태의 큰 단백질을 만든다. 이 단백질은 세포막까지 이동한다.

T세포의 세포막
단백질
융합된 DNA
mRNA
전사 효소

7 세포막에서 '출아법'이라는 과정을 통해 싹이 돋듯이 새로운 HIV 입자가 방출된다. 새로 생긴 HIV 입자는 감염성이 없다.

T세포의 세포막
감염성이 없는 HIV의 싹

8 단백질 분해 효소가 HIV 입자 내부의 큰 단백질을 잘라 더 작은 단백질과 효소를 만든다. 이 과정을 거치면 HIV 입자는 감염성이 있는 성숙한 레트로바이러스가 된다.

감염성이 있는 HIV 입자
감염성이 없는 HIV 입자

151

카나리아 두창 바이러스로 만들었다. 연구자들은 이 백신을 만드는 과정에서 유전공학 기술을 활용해 인간 면역 결핍 바이러스의 단백질 세 종류를 카나리아 두창 바이러스 안에 집어넣었다. 이 세 가지 단백질은 몸속의 T세포를 활성화해 외부 물질과 싸우게 하는 항원들이다. 그리고 두 번째 백신은 글락소 스미스클라인사에서 만들었으며, 인간 면역 결핍 바이러스의 표면에서 유전적으로 조작된 단백질을 함유한 구성단위 백신이다. 이 백신은 면역 반응을 촉진해 B세포가 항체를 만들게 한다. 연구자들은 두 백신이 인간 면역 결핍 바이러스 감염을 예방할 만큼의 면역 반응을 이끌어 낼 수 있으리라 기대한다.

연구자들이 남아프리카에서 임상 시험을 실시하기로 한 이유는 세계 어느 지역보다 이곳에 인간 면역 결핍 바이러스에 감염되어 에이즈를 앓는 사람들이 많기 때문이다. 이곳에는 감염자가 거의 700만 명에 달하는데, 5명 가운데 1명꼴이다. 임상 시험 참가자들은 1년 동안 다섯 번에 걸쳐 백신을 맞으며, 연구자들은 이후 2년 동안 이들의 반응을 지켜볼 예정이다. 결과는 2020년에 나올 것이다(2020년 2월, 미국 국립보건원은 남아프리카공화국에서 실시한 인간 면역 결핍 바이러스 백신 임상 시험의 중간 결과가 좋지 않게 나와 실험을 중단한다고 발표했다).

한편 또 다른 인간 면역 결핍 바이러스 백신 개발 전략을 이어 가는 과학자들도 있다. 그 가운데 일부는 DNA 백신을 개발하려 노력한다. 예컨대 인간 면역 결핍 바이러스 유전자의 일부를 백신에 사용되는 작은 DNA 조각에 집어넣는 방법 같은 것이다. 이상적으로는 일단 백신이 사람 몸에 들어오면 백신 속 이 유전자에 의해 인간 면역 결핍 바이러스가 생산하는 단백질과 비슷한 단백질이 만들어져, 결국 몸에서 인간 면역 결핍 바이러스와 싸울 수 있는 항체를 만들어 낼 것이다.

아데노바이러스를 활용해 인간 면역 결핍 바이러스의 일부 조각을 몸속에 집어넣어 면역계가 이것을 공격하도록 하는 연

성관계로 전파되는 질병에도 백신이 필요할까?

성관계로 전파되는 질병은 널리 퍼져 있다. 2015년 의사들의 보고서에 따르면 미국에서만 150만 건의 클라미디아 감염증 사례가 새로 발생했고, 임질은 40만 건, 매독은 2만 4000건이 보고되었다. 그리고 이 숫자는 늘어나는 추세다.

예전에는 백신 개발자들이 이런 질병을 우선순위에 두지 않았다. 성관계로 전파되는 질병들은 조기에 발견되기만 하면 항생제로 치료할 수 있었다. 하지만 많은 세균들이 그동안 돌연변이를 일으켜 항생제에 내성을 갖는 특성을 발달시켰다. 그래서 예전에는 이런 질병을 일으키는 세균을 쉽게 물리쳤던 항생제들이 이제는 잘 듣지 않게 되었다. 몇몇 항생제는 아예 쓸모가 없어졌다.

성관계로 전파되는 질병을 항생제로 치료할 수 없다면 이제 백신으로 눈을 돌려야 한다. 그러니 머지않아 클라미디아 감염증, 임질, 매독 같은 질병도 백신 개발자들의 우선순위에 들어갈 것이다.

구도 있다. 아데노바이러스는 다양한 척추동물에서 50종에 걸쳐 100여 개의 그룹이 발견되었는데, 사람 아데노바이러스는 주로 어린이에게 호흡기 질환을 일으키는 바이러스지만 성인에게도 밀집된 환경에서 유행성 호흡기 질환을 일으킨다. 비활성화된 아데노바이러스는 세포에서 배양하기 쉽고 유전자 조작이 간편하여 이런 실험적 백신에서 유전 물질을 몸속에 전달하는 데 알맞다. 과학자들은 이렇게 인간과 동물의 여러 조직을 감염시킬 수 있다는 것을 안다. 이렇게 감염시키면 숙주 밖에서도 일 년 내내 오랜 기간 살아남을 수 있기 때문에 실험실 연구에 적합하다. 또 과학자들은 입으로 삼키는 인간 면역 결핍 바이러스 경구 백신, 근육 대신 피부에 주사하는 백신도 연구하고 있다.

☀ 치사율 높은 에볼라 출혈열의 대규모 발병

2013년 12월 말, 서아프리카 기니의 작은 마을에서 18개월 짜리 남자아이가 죽었다. 당시에는 아무도 이 아이가 어떤 병으로 죽었는지 몰랐지만 곧 아이의 가족들도 병을 앓기 시작했고, 이 병은 빠르게 이웃 나라로 퍼졌다. 이 아이가 첫 번째 감염 사례인지는 확실하지 않지만, 에볼라 출혈열 집단 발병을 낳은 원인 가운데 하나였다. 1976년에 이 질병이 처음 발견된 이래로 최악의 유행이었다. 2016년에 끝난 이 유행에서 2만 8600명 이상이 병에 감염되고, 1만 1325명이 사망했다. 에볼라 출혈열은 인체에 심각한 손상을 입히며 치사율이 매우 높다. 일단 바이러스가 몸속에 들어오면 거의 모든 유형의 세포에 감염하여 결국 세포를 파괴한다. 환자들은 처음에 발열, 근육통, 두통, 피로감 등 독감과 비슷한 증상을 호소한다. 그러다가 내출혈 같은 치명적인 증상으로 발전한다. 에볼라 바이러스에 감염된 사람들 가운데 절반 정도가 목숨을 잃었다. 과학자들은 왜 어떤 감염자는 사망하고 어떤 감염자는 그렇지 않은지에 대해 아직 확실히 모른다.

2013년부터 2016년까지 집단 발병 시기에 과학자들은 '지맵ZMapp'이라는 치료약을 개발했는데, 여기에는 에볼라 바이러스에 대항하는 항체가 들어 있다. 지맵은 인체의 면역계가 항체를 생성하도록 하지 않기 때문에 백신과는 다르다. 그 대신 지맵은 수동 면역을 일으킨다. 다시 말해 사람이 이미 생성된 항체를 주사로 맞아, 그 항체가 곧장 바이러스를 공격하는 것이다. 하지만 2013~2016년 집단 발병 시기에 지맵을 투여한 것이 적절한 응급 조치였는지는 논란거리다. 안전성이나 효과 면에서 충분히 연구되지 않았기 때문이다.

과학자들은 제대로 시험을 거치지 않은 약을 투여하는 대신 앞으로 에볼라 집단 발병을 예방할 수 있는 백신을 개발하고자 했다. 백신은 긴급하게 필요했다. 집단 발병 사태가 기니, 라이베리아, 시에라리온을 덮쳤고, 서아프리카에 다녀온 여행자들을 보살폈던 미국 간호사 두 명과 에스파냐 간호사 한 명도 병에 걸렸다. 그에 따라 미국과 유럽에도 에볼라 출혈열이 퍼질 위험이 생겼기 때문에 여러 연구 기관에서는 아직 개발 중이거나 동물에게만 임상 시험을 거친 백신을 서둘러 만들어 냈다.

에볼라 출혈열을 일으키는 5종의 바이러스 가운데 사람들을 가장 많이 사망에 이르게 하는 종은 자이르 에볼라바이러스*Zaire ebolavirus*였다. 이 바이러스는 2013~2016년에 집단 발병을 일으킨 범인이기도 했다. 그래서 백신 개발자들은 이 균주에 초점을 맞췄다. 성격이 다른 여러 백신들이 유력한 후보로 떠올랐고, 2015년에 2상 임상 시험에 들어갔다.

그동안 에볼라 바이러스는 연구자들이 백신을 개발하는 데 여러 도전 과제를 안겼다. 먼저, 이 바이러스의 주요 단백질 가운데 하나가 세 가지 다른 모양을 가질 수 있다. 이런 유동성 때문에 바이러스가 몸속에 들어왔을 때 해를 더 많이 끼친다. 게다가 에볼라 바이러스는 몸속에서 인터페론을 방출하지 못하도록 막는다. 인터페론은 바이러스에 감염된 동물의 세포에서 생산되는 항바이러스성 단백질로, 면역계가 외부 침입자를 알리는 데 사용하는 단백질이다. 마지막으로, 에볼라 바이러스 질량의 절반을 차지하는 탄수화물이 바이러스를 위장용 망토처럼 감싸고 있다. 사람의 몸은 탄수화물을 에너지원으로 사용하기 때문에 이런 탄수화물에 싸인 바이러스는 자칫 면역계에 외부의 침입자로 인식

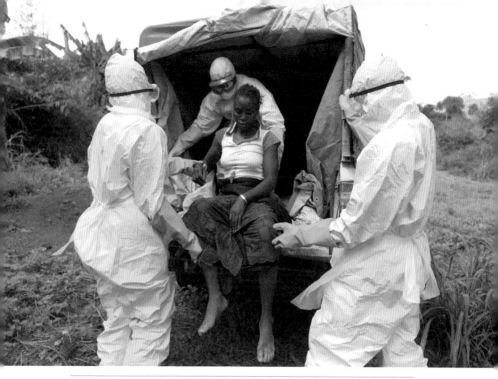

아프리카 기니에서 공중 보건 담당자들이 한 환자를 에볼라 출혈열 치료 센터로 이송하고 있다. 이들은 에볼라 바이러스에 감염되지 않도록 머리부터 발끝까지 보호 장구를 착용해야 한다.

되지 않을 수도 있다.

그래도 백신 제조업체의 신속한 행동과 국제적인 협력으로 성과를 거둘 수 있었다. 2016년 말, 'rVSV-ZEBOV(상품명: 에르베보^{Ervebo})'라는 에볼라 백신이 시범적으로 나온 것이다. 2015년에서 2016년까지 기니와 시에라리온에서 거의 1만 2000명의 참가자들이 임상 시험에 참가한 결과 백신을 맞은 사람들 가운데 에볼라 출혈열 증상을 보인 사람은 아무도 없었다. 이것은 이 백신이 100% 효과가 있다는 의미였다. 하지만 임상 시험 과정에서의

임신 기간의 백신 접종

임신 기간은 태아나 신생아에게 해를 끼칠 수 있는 질병을 예방해야 하는 중요한 시기다. 지카열과 풍진은 아기에게 선천적인 장애를 일으키는 대표적인 감염병이다. 거대 세포 바이러스 역시 아기에게 비유전적 청각 장애와 지적 장애를 비롯해 다른 선천적 장애를 가져오는 원인이다.

거대 세포 바이러스는 무척 흔하다. 5세 유아 3명 가운데 1명, 중년에 이른 성인의 거의 절반이 이 바이러스에 감염되어 있을 정도다. 이 바이러스가 증상이나 문제를 일으키는 경우는 드물다. 하지만 임신한 여성이 이 바이러스에 감염되면 바이러스가 탯줄을 통해 태아에게 전달되어 선천적 장애를 갖고 태어날 확률이 높아진다. 매년 이 감염으로 장애를 갖고 태어나는 아기가 전 세계적으로 약 4만 명으로 추정된다. 과학자들은 이런 거대 세포 바이러스 감염에 따른 선천적 장애를 예방하는 백신을 개발하고 있다. 여성들은 어린 시절이나 임신하기 전, 또는 임신 중에 이 백신을 맞을 수 있다.

한편 건강한 성인 여성 4명 가운데 1명은 'B군 연쇄상구균'이라는 세균에 감염되어 있다. 일반 여성은 이 세균에 감염되어도 건강상의 문제가 생기지 않지만, 임신한 여성이 이 세균에 감염되면 진통과 분만 때 태아에게 전달될 수 있다. 신생아 2000명 가운데 1명꼴로 B군 연쇄상구균 감염에 따른 합병증을 겪는다. 이 합병증에는 호흡 관련 문제, 폐렴, 수막염, 심장이나 콩팥 문제가 포함된다. B군 연쇄상구균 백신은 이런 심각한 합병증을 예방할 수 있다. 백신에 대한 연구가 2016년에 2상 임상 시험 단계에 들어갔기 때문에 안전하고 효과적인 백신이 개발될 가능성이 높지만, 확실하게 백신을 입증하기 위해서는 더 많은 시험이 필요하다.

호흡기 세포 융합 바이러스는 뱃속 태아에게는 영향을 주지 않지만 1살 이하의 아기에게 폐의 감염과 염증을 일으키는 주된 원인이다. 과학자들은 지난 수십 년간 호흡기 세포 융합 바이러스에 대항하는 백신을 개발하려고 애썼다. 그 가운데 하나는 아직 백신에 반응할 만큼 면역계가 성숙하지 못한 신생아 대신 임신부에게 접종하는 백신에 대한 연구다. 임신한 여성이 백일해나 독감 백신을 맞으면 몸속에서 생성된 항체가 태아에게 전달된다. 그러면 아기는 생후 몇 개월 동안 백일해나 독감에 걸리지 않을 수 있다. 호흡기 세포 융합 바이러스 백신도 이와 똑같은 방식으로 작용할 수 있을 것이다.

몇 가지 어려움과 함께 이 백신의 안전성과 효과를 검증하려면 더 많은 연구가 필요했다. 그리고 백신을 접종받은 뒤 얻은 면역이 얼마나 지속될지, 이 백신이 만들어진 방식이 다른 에볼라 바이러스에도 활용될 수 있을지는 알 수 없었다. 이후 미국 제약 회사인 머크사가 안전성에 대한 연구를 진행했고 2017년 말에 승인 신청을 위해 FDA에 백신을 제출했으며, 2019년 12월에 마침내 승인을 받았다.

다음번 감염병은?

과학자들은 말라리아나 뎅기열, 지카열, 에볼라 출혈열 이외의 다른 질병에 대한 백신도 개발하고 있다. 그 가운데 하나가 어린이에게 모세기관지염을 일으키는 흔한 원인인 호흡기 세포 융합 바이러스^{RSV}에 대한 백신이다. 미국에서는 매년 이 바이러스 때문에 입원하는 환자가 7만 5000~12만 5000명에 이르고, 50만 명이 응급실을 찾는다. 영유아 가운데 200~500명이 사망하고, 노인 가운데 1만~1만 4000명이 목숨을 잃는다. 경제적 사정이 좋지 않은 나라에서는 매년 이 바이러스로 6만 6000~20만 명의 아이들이 사망한다.

그 밖에 과학자들은 헤르페스바이러스로 생기는 피부 질환을 예방하는 백신도 개발하고 있다. 또 폐에 손상을 일으키는 결핵에 대한 백신도 연구 중이다. 세계 보건 관계자들은 전 세계적으로 사람들을 사망에 이르게 하는 원인의 10%를 차지하는 결핵, 말라리아, 에이즈를 '빅 3' 질병이라고 부른다. 현재 사용되는 결핵 백신은 그다지 효과가 좋지 않아서 과학자들은 더 좋은 백신을 개발하려 애쓴다. 또한 A형 간염과 B형 간염 백신이 이미 나와 있는 상황에서 2015년에 중국 백신학자들은 E형 간염 백신을 개발했다. 하지만 생명을 위협할 수 있는 두 가지 다른 간염인 C형, D형에 대한 백신은 아직 없다.

한편 암을 예방하는 백신에 대해서 완전히 다른 유형의 연구가 이루어지고 있다. 기존의 거의 모든 백신은 질병을 예방하는 역할을 한다. 사람 유두종 바이러스와 B형 간염 백신도 암을 일으킬 수 있는 바이러스 감염을 막아 암을 예방한다. 그런데 과학자들은 이미 생겨난 암을 치료하는 치료용 백신도 개발하고자 한다. 이런 백신은 T세포에게 암과 싸우도록 가르치거나 항체가 암세포의 표면에 결합해 암세포를 죽이도록 인체의 면역계를 강화한다. 그동안 FDA의 승인을 받은 치료용 백신은 전이성 전립선암에 대항하는 백신 sipuleucel-T(상품명: 프로벤지Provenge) 하나뿐이다. 다른 치료용 백신들은 개발 중이거나 시험 단계에 있다.

과학자들은 앞으로 어떤 백신을 개발할까? 말라리아나 인간 면역 결핍 바이러스를 효과적으로 예방하는 백신이 등장하기는 할까? 피하기 힘든 새로운 병원체가 나타나 과학자들이 새 백신

미국 국립보건원에서 일하는 한 과학자가 C형 간염 바이러스의 DNA 지도를 살피고 있다. 과학자들이 질병의 유전자 구성을 더 많이 알수록 질병을 예방하는 백신을 더 잘 만들 수 있다.

을 개발하고자 실험실로 달려가 머리를 싸매는 일이 벌어질까?

　　100만 년 넘게 인간과 미생물은 끝나지 않는 전쟁을 벌여야 했다. 인두법에서 백신 접종에 이르기까지 인류는 병원체를 이기려고 애썼다. 하지만 재빨리 새로운 병원체가 등장하거나 돌연변이를 일으켜 백신 개발자들보다 늘 한발 앞섰다. 세계는 인류를 병들게 하고 죽음에 이르게 하는 병원체들을 결코 완전히 없애지 못할 것이다. 우리 인류에게는 백신을 개발해 병원체들과 끊임없이 싸울 현명한 과학자들이 필요하다. 어쩌면 이 책을 읽는 여러분이 그런 과학자 중 한 사람이 될지도 모를 일이다.

찾아보기

지식은 모험이다 20

백신, 10대는 무엇을 알아야 할까?

처음 펴낸 날   2021년 3월 25일
두 번째 펴낸 날   2021년 12월 24일

글   태라 하엘
옮김   김아림
감수   박지영
펴낸이   이은수
편집   오지명
교정   송혜주
디자인   원상희
펴낸곳   오유아이(초록개구리)
출판등록 2015년 9월 24일(제300-2015-147호)
주소   서울시 종로구 비봉 2길 32, 3동 101호
전화   02-6385-9930
팩스   0303-3443-9930
인스타그램 instagram.com/greenfrog_pub

ISBN 979-11-5782-098-6 44400
ISBN 978-89-92161-61-9 (세트)